OSTÉOPOROSE

Comment
la prévenir,
la freiner,
la soulager,
et peut-être l'éviter.

Wendy Smith

OSTÉOPOROSE

Comment la prévenir, la freiner, la soulager, et peut-être l'éviter.

Traduit de l'américain
par Jean-Louis Morgan

Stanké

Mise en page et page couverture : Norman Lavoie

Illustrations du chapitre V : Anik Lafrenière

Cet ouvrage a été publié sous le titre original
de *OSTEOPOROSIS* par Simon and Schuster, Inc.

ISBN 2-7604-0311-4

Dépôt légal : troisième trimestre 1987

Données de catalogage avant publication (Canada)

Smith, Wendy, 1956-
    L'ostéoporose : comment la prévenir, la freiner,
la soulager et peut-être l'éviter

    Traduction de : Osteoporosis.
    Comprend un index.
    Bibliogr. : p.
    ISBN : 2-7604-0311-4

    1. Ostéoporose — Prévention.   2. Autothérapie.
I. Titre.

RC931.073S64 1987   616.7'1   C87-096298-1

IMPRIMÉ AU CANADA

A682877

Les avis et les conseils contenus dans ce livre ne prétendent aucunement remplacer ceux de votre médecin. Nous suggérons donc à nos lectrices et à nos lecteurs d'obtenir un avis médical avant de suivre le régime ou de pratiquer les exercices décrits dans ces pages, comme d'ailleurs dans celles de tout autre ouvrage du genre.

Remerciements

Plusieurs spécialistes de l'ostéoporose ont gracieusement accepté de se laisser interviewer. J'aimerais remercier vivement les Drs Louis V. Avioli, Bruce Ettinger, Robert P. Heaney, Michael Kleerekoper et B. Lawrence Riggs. Merci également à Randi Aaron, qui a proposé les recettes du chapitre IV. Enfin, j'aimerais exprimer plus particulièrement ma gratitude envers Angela Miller et David Gibbons, de la maison Miller Press, qui n'ont pas ménagé leurs efforts.

Table des matières

Avant-propos

L'ostéoporose est la raréfaction de la masse osseuse. Elle a toujours existé mais, puisque la population vieillit, on est plus à même de la constater. L'ostéoporose est vraiment une catastrophe. Quand elle se découvre, et c'est toujours trop tard pour la guérir, elle est infirmante et déformante, donc douloureuse et inesthétique.

Mais je la trouve aussi une sorte de don du Ciel. C'est elle et ses conséquences coûteuses sur les fonds publics qui ont forcé la recherche sur les difficultés de la ménopause. Parce qu'il a été découvert qu'elle allait de pair avec l'involution hormonale pour la femme.

Les hommes comme les femmes sont tous candidats à l'ostéoporose. Mais ce sont les femmes qui en souffrent plus nombreuses et plus tragiquement. À 35 ans, le squelette féminin est à l'apogée de sa vigueur. Dès la quarantaine, en parallèle avec la diminution d'oestrogènes, l'élimination du calcium débute et s'aggrave jusqu'à provoquer une telle perte de densité des os que fractures, déformations et invalidités s'ensuivent.

En fait, c'est la ménopause précoce, naturelle ou induite chirurgicalement qui provoque le plus sûrement l'ostéoporose. Celle-ci a tout le loisir de se développer au long encore de nos jeunes années. C'est pour cela que quatre femmes sur dix en sont atteintes au beau milieu de leur vie.

Malgré ces découvertes précieuses, la maladie n'est pas encore totalement guérissable. La prévention est ce qui nous aide le plus.

Dans le département de médecine nucléaire de deux hôpitaux montréalais, respectivement Saint-Luc et Royal Victoria, un appareil très sophistiqué, l'ostéodensitomètre mesure la densité de la masse osseuse. De cette façon, il détermine les sujets à risque comme les sujets atteints. Dans les deux cas, les soins sont entrepris : la thérapie hormonale de substitution, la prise de suppléments quotidiens de calcium, l'alimentation révisée et l'exercice approprié. Tous ces soins sont l'objet du texte de ce livre.

Tandis que les recherches se poursuivent, l'ostéoporose prévenue se trouve déjà considérablement freinée et soulagée. Et qui sait peut-être évitée. Il me semble que les femmes désormais soucieuses d'être artisanes de leur santé et de leur vitalité vont tirer profit de cette étude claire, consistante et à jour.

Pour moi, la connaissance, si on l'entreprend pour son propre corps comme pour le reste, mène toujours au mieux-être.

Josette Stanké

Préface

L'état pathologique connu sous le nom d'ostéoporose a fait couler beaucoup d'encre ces derniers temps. La détérioration du tissu osseux manifestée au cours du processus de vieillissement touche tout le monde à des degrés divers. Le sexe de la personne qui en souffre, ses caractéristiques raciales, son hérédité, son mode de vie, son régime et son activité physique constituent des facteurs qui affectent la résistance de l'ossature. Après la ménopause, la femme ne tarde pas à être victime de la détérioration du tissu osseux et à être davantage sujette à souffrir de fractures que l'homme.

Le tissu osseux est un tissu vivant et en perpétuelle mutation, constamment sollicité par deux forces contraires. L'une est constructive (la formation), l'autre destructrice (la résorption). À la fin de la période de croissance, la force destructrice ne tarde pas à gagner du terrain. La raréfaction osseuse se manifeste plutôt lentement avant la ménopause. Après cette dernière, la perte de minéraux s'accentue souvent avec de sérieuses séquelles. La sédentarité et de mauvaises habitudes alimentaires accélèrent la détérioration de la matière osseuse ainsi que les pertes de calcium.

En avril 1984, lors d'une conférence qui se tenait à Washington sous les auspices de l'Institut national de la santé, des médecins et des scientifiques se réunirent pour étudier les possibilités de prévention et de traitement de l'ostéoporose. Les résultats de cette recherche se trouvent plus bas.

Les perspectives concernant l'ostéoporose seraient-elles aussi sombres que certains le voudraient ? Absolument pas. Malgré le fait qu'à l'heure actuelle il n'existe aucun moyen de redonner leur état premier aux os déminéralisés, les recherches entreprises démontrent qu'il y a moyen de freiner la perte de calcium. Mieux, à condition de s'y prendre tôt, on peut la limiter à sa plus simple expression. Un régime bien équilibré et de l'exercice physique sont garants d'une ossature convenablement minéralisée. Sachant cela, nous sommes en mesure d'assurer à nos enfants de bons moyens de défense contre l'ostéoporose et d'aider les personnes plus âgées à mieux faire face aux dommages que cette affection leur a déjà fait subir.

Une mise en garde s'impose : le secret d'une bonne santé réside dans la modération. Si l'on a mené une vie sédentaire, on serait mal avisé de se lancer du jour au lendemain dans un programme intensif d'exercices physiques. De même, il est inutile de se mettre à consommer d'excessives quantités de calcium ou de vitamines. Quatre verres de lait écrémé suffisent généralement à fournir à l'organisme tout le calcium dont il a besoin sans stocker pour cela des kilos supplémentaires. Les personnes digérant mal le lait ont à leur disposition d'autres aliments riches en calcium. De plus, il y a moyen de se procurer facilement des médicaments à base de cet élément. Les exercices conseillés ne sont pas compliqués. Le meilleur exercice est encore celui qu'on fait avec plaisir ne demandant aucun équipement spécial. Ainsi la marche, pratiquée d'un pas vif, constitue-t-elle un excellent moyen de renforcer l'ossature.

Les adolescents devraient particulièrement surveiller leur régime. Au cours de l'adolescence et des premières années de l'âge adulte, le désir de paraître mince et la vie de célibataire poussent certains jeunes à consommer de la cuisine vite faite et ne contenant pas le calcium nécessaire au moment critique du développement. Dans le même ordre d'idées, le régime alimentaire des personnes âgées accuse parfois des carences si elles cessent de se soucier de l'équilibre alimentaire de leurs repas.

Un certain nombre de traitements sont encore à l'étude et gagneront à être approfondis. L'un de ceux-ci, aux avantages reconnus, est la thérapeutique dite œstrogénique, appliquée aux femmes ménopausées. La mise en œuvre d'un tel traitement relève d'une décision prise conjointement par la patiente et son médecin, après mûre évaluation des risques et des avantages éventuels.

L'intérêt qui se manifeste actuellement en vue d'une meilleure compréhension de l'ostéoporose permettra sans aucun doute à la prochaine génération d'avoir, grâce à des moyens naturels et à un minimum d'efforts, une ossature en parfaite santé.

Dr STANTON H. COHN
Directeur de la division de physique médicale au Centre de recherches du Brookhaven National Laboratory ; professeur à l'école de médecine de la State University (Stony Brook, N.Y.)

Introduction

Ce livre est le premier à traiter clairement et en termes simples, dans une langue accessible à tous, de l'affection connue sous le nom d'ostéoporose, de sa prévention et de son traitement. Celle-ci fait l'objet d'études intensives depuis peu de temps ; mais il existe encore des questions controversées. Les spécialistes s'entendent sur de nombreux points et l'on trouve une vaste documentation permettant à la plupart des femmes d'enrayer les effets de cette maladie qui risque de faire d'elles des handicapées. La recherche nous réserve peut-être des surprises dans un proche avenir et ce n'est pas demain que l'on cessera d'argumenter sur des questions secondaires qui relèvent de la compétence des spécialistes et non du grand public.

Évidemment, si vos efforts pour prévenir l'ostéoporose impliquent une modification draconienne de votre régime ou de votre style de vie, il ne faut pas hésiter à consulter votre médecin afin de ne pas commettre d'impair. J'ai bien dit *consulter*. Une chose à retenir de la lecture de ce livre : votre santé dépend avant tout de *vous*. Demandez à votre médecin ce qu'il en pense, pesez le pour et le contre et tirez-en vos propres conclusions. Cet ouvrage, je le souhaite, vous fournira les données nécessaires pour une prise de décision éclairée.

W.S.

PREMIÈRE PARTIE

CE QU'IL VOUS FAUT SAVOIR SUR L'OSTÉOPOROSE

Chapitre I

Qu'est-ce que l'ostéoporose ?

L'ostéoporose est une maladie au cours de laquelle la diminution de la masse osseuse qui accompagne le vieillissement s'accélère. Le squelette devient si poreux, si fragile, que les os se brisent au moindre traumatisme — en levant quelque objet lourd, par exemple — ou encore sans cause apparente. L'ostéoporose est responsable de la condition inesthétique et souvent douloureuse connue sous le nom de « bosse de douairière », que l'on observe chez nombre de femmes âgées. Les vertèbres s'affaiblissent à un point tel qu'elles s'écrasent jusqu'à causer un affaissement de l'épine dorsale. Les victimes sont de plus en plus courbées et perdent ainsi plusieurs centimètres. Les fractures ostéoporotiques sont également fréquentes aux poignets. Chose plus grave, l'ostéoporose est la principale cause de fractures du bassin chez les personnes âgées. Près de 200 000 Américains de plus de 65 ans souffrent tous les ans de fractures de ce genre. Entre 15 et 30 pour 100 d'entre eux meurent des complications qui s'ensuivent.

Un important problème de santé publique

Les spécialistes estiment qu'aux États-Unis 20 000 000 de personnes souffrent d'ostéoporose, que beaucoup d'entre elles l'ignorent et que cette pathologie est responsable d'environ 1 300 000 fractures chaque année. Une femme de race blanche qui atteint l'âge de 60 ans court, dans une proportion de 25 à 50 pour 100, le risque de subir au moins une fracture avant de mourir (les Noires semblent beaucoup moins touchées). Les complications découlant de fractures constituent la troisième cause de décès dans la population des plus de 65 ans. Parmi les personnes qui dépassent 90 ans, 32 pour 100 des femmes et 17 pour 100 des hommes subissent une fracture du bassin. Dans la plupart des cas, celle-ci est causée par l'ostéoporose. Les services de santé mobilisés ainsi que les heures de travail perdues dans la lutte contre ce fléau représentent une somme de 3 800 000 000 de dollars.

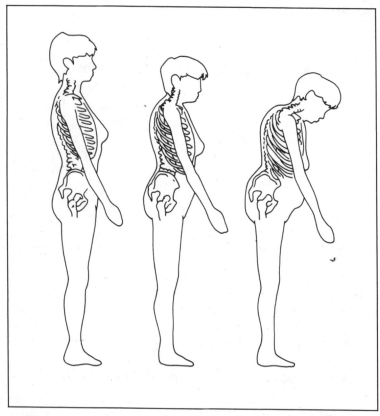

L'affaissement de la colonne vertébrale

L'ostéoporose représente sans doute un sérieux problème de santé publique. De toute apparence, celui-ci est appelé à prendre de l'ampleur. En effet, on s'attend à ce que l'importance de la population âgée de plus de 45 ans s'accroisse de plus du tiers d'ici l'an 2000 ; si rien n'est entrepris pour juguler la fréquence de cette affection, le nombre de fractures imputables à l'ostéoporose risque de s'élever à 1 700 000 000 d'ici la fin du siècle et les frais découlant de ce mal augmenteront certainement de manière proportionnelle.

Quelles sont les causes de cette maladie ?

On ne connaît pas encore toutes les causes de l'ostéoporose, bien que l'on puisse déjà en identifier deux. Étant donné sa nature complexe ainsi que les différentes réactions au traitement, on suspecte qu'il en existe bien d'autres, même s'il est impossible de se prononcer de manière irréfutable. On *connaît* toutefois avec certitude la séquence des événements accompagnant la raréfaction du tissu osseux.

Même s'il est compréhensible de tenir pour acquis qu'une matière aussi dure et résistante que l'os constitue une substance dense et immuable, le tissu osseux est en fait en perpétuelle mutation. Il ne s'agit pas non plus d'une matière unique. En effet, il existe deux sortes de tissus osseux : le tissu trabéculaire, spongieux, au métabolisme actif, situé au centre des os et qui représente 20 pour 100 du squelette ; le tissu cortical (appelé également « os compact »), enveloppe externe plus lisse et plus mince, qui représente le reste (80 pour 100). Des vaisseaux sanguins et des nerfs parcourent le tissu osseux, qui est imprégné de matières d'origine minérale, dont le calcium et le phosphore. Les propor-

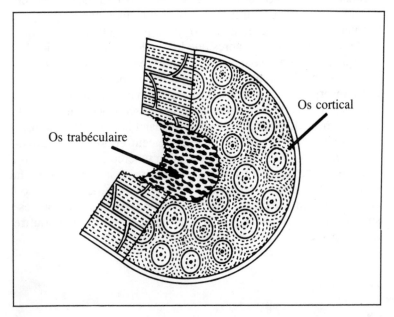

Os cortical

Os trabéculaire

tions entre les deux types de tissus varient beaucoup selon les parties du squelette où ils se trouvent. Leur degré de détérioration imputable au vieillissement, leur propension aux fractures et leur réponse aux traitements peuvent également varier de manière sensible.

Les deux types de tissus osseux se modifient constamment. Ils perdent des matières minérales qui se dissolvent dans le sang (un phénomène appelé résorption) et puisent des matières similaires dans la circulation sanguine afin d'élaborer du tissu osseux neuf (ce que l'on appelle formation). Deux différents types de cellules sont à l'origine de ces phénomènes : les ostéoclastes, responsables de la formation d'alvéoles à la surface des os et de la raréfaction de ceux-ci, et les ostéoblastes, qui comblent ces alvéoles. Ce cycle perpétuel allant de la détérioration à la reconstruction du tissu osseux est essentiel à la santé.

Jusqu'à l'âge de 18 ans environ, la croissance osseuse (formation) est plus importante que la résorption. Passé cet âge, même si les os ne grandissent plus, l'organisme continue à renforcer leur densité. Avant que le squelette n'acquière sa densité osseuse optimale (vers l'âge de 35 ans et même plus tard dans le cas de la substance osseuse trabéculaire), on estime que cet apport supplémentaire représente de 10 à 15 pour 100 de la matière totale. Quelques années après que le squelette a atteint sa densité maximale, cette masse osseuse commence à diminuer, les ostéoblastes ne parviennent plus à suppléer aux pertes occasionnées par la résorption et, par conséquent, la formation de nouveau tissu diminue. Cette détérioration est une conséquence naturelle du vieillissement. L'ostéoporose survient quand la raréfaction du tissu osseux s'accélère anormalement et devient critique. « L'ostéoporose n'est pas une maladie comme la tuberculose, souligne un des spécialistes que nous avons consultés, en ce sens, on ne la contracte pas: elle correspond plutôt à une ligne de démarcation choisie par le médecin sur une échelle correspondant à un processus évolutif. » Souvent, la victime ne constate qu'elle souffre d'ostéoporose que lors d'une fracture.

Les deux types d'ostéoporose

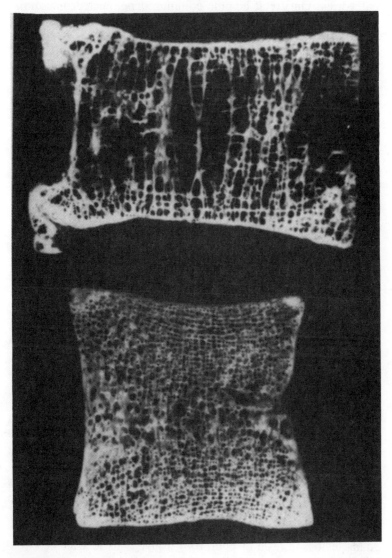

La photo du haut montre combien un os ostéoporotique peut être beaucoup plus poreux qu'un os normal (en bas).

De plus en plus, les praticiens divisent l'ostéoporose en deux catégories. On y voit comme commun dénominateur une diminution de la masse osseuse, qui en constitue la principale caractéristique, mais avec des variantes dépendant du sexe, de l'âge et de l'emplacement de la fracture du patient.

L'ostéoporose du premier type est six fois plus fréquente chez les femmes ; elle se manifeste généralement entre 55 et 75 ans. La perte de matière osseuse trabéculaire est plus prononcée que la perte de matière corticale et les fractures surviennent d'habitude dans la colonne vertébrale (l'écrasement classique des vertèbres) ou aux poignets. L'ostéoporose du second type, qui affecte « seulement » deux fois plus de femmes que d'hommes, touche les personnes d'un âge respectable, celles qui ont de 70 à 85 ans. Le tissu osseux trabéculaire comme le tissu cortical se raréfient en proportions égales ; les fractures les plus courantes surviennent alors dans la région du bassin et dans les os longs, et l'on signale moins de fractures vertébrales.

La distinction qui existe entre ces deux ostéoporoses est importante, car on a de plus en plus la preuve que ces deux types d'affections ont des causes primaires diverses et réagissent à des traitements différents. Si l'on désire comprendre ces différences, il importe de connaître un peu mieux les substances minérales et hormonales qui jouent un rôle dans la formation et dans la raréfaction du tissu osseux.

Le rôle du calcium et des hormones

L'un des éléments les plus importants du processus de mutation du tissu osseux est le calcium. Au cours des années de croissance optimale de l'adolescence, de 275 à 500 mg de calcium se fixent *quotidiennement* dans les os. Une fois la croissance osseuse terminée, les os continuent à densifier et l'on a encore besoin de quelque 500 mg de calcium chaque jour pour conserver son squelette en bon état.

Malgré le fait que 99 pour 100 du calcium du corps soit stocké dans les os, le reste (1 pour 100) trouvé dans le système circulatoire est extrêmement important : c'est lui qui permet de soutenir des activités nerveuses ou musculaires aussi importantes que les pulsations cardiaques, les contractions des muscles ou la coagulation du sang. Si les cellules nerveuses ne baignent pas dans une dose de calcium adéquate, des spasmes musculaires peuvent survenir ; cela crée une situation à risques se soldant parfois par la mort. Si le régime comporte assez de calcium, les os et le sang en contiendront suffisamment. Si tel n'est pas le cas, l'équilibre normal existant entre la formation et la résorption osseuses s'en trouvera perturbé. L'organisme puisera alors du calcium dans les os pour l'injecter dans la circulation, où son rôle est plus important dans l'immédiat. En d'autres termes, le squelette n'est rien d'autre qu'une gigantesque réserve de calcium qui assure un niveau adéquat de cette substance dans la circulation.

À cause des rapports qu'elles entretiennent avec le calcium, trois hormones sont principalement engagées dans le maintien de l'équilibre osseux. Il s'agit d'abord de l'hormone parathyroïdienne ou parathormone, plus connue sous le sigle PTH dans la classification américaine, qui stimule la résorption osseuse, puis de la calcitonine, qui abaisse le taux sanguin du calcium. La sécrétion de ces deux hormones dépend du taux sanguin de calcium. Lorsque ce dernier est élevé, les sécrétions de PTH sont basses, parce que le niveau de calcium est élevé et que la résorption osseuse n'a pas à augmenter pour injecter du calcium dans la circulation sanguine. Pour les mêmes raisons, les sécrétions de calcitonine sont élevées — ce qui limite la résorption — lorsque le taux sanguin de calcium est élevé.

Une chute dans le taux sanguin de calcium provoque une augmentation des sécrétions d'hormone parathyroïdienne ou PTH, car la résorption doit augmenter afin de faire passer dans la circulation le calcium nécessaire ; cette chute provoque également une baisse dans les sécrétions de calcitonine, vu que rien ne doit entraver la résorption. Une baisse de calcium dans le sang provoque un autre effet. L'augmentation de la sécrétion de PTH facilite la production de $1,25 (OH)_2D_3$, une forme hormonale de vitamine D_3, qui augmente les possibilités d'absorption intestinale du calcium afin de compenser une insuffisance de cet élément dans le régime. En d'autres termes, pendant que la PTH stimule les os pour qu'ils libèrent du calcium dans la circulation sanguine et compensent le taux insuffisant de cet élément dans le sang, elle augmente la production de vitamine hormonale D_3, de façon que le peu de calcium passant par le système digestif soit absorbé par

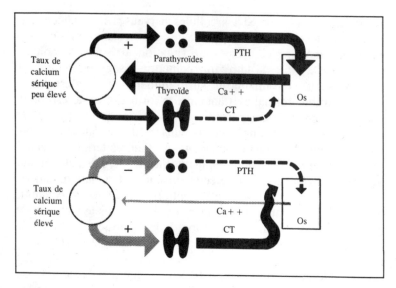

Comment le calcium et les hormones jouent leur rôle dans la formation et la résorption du tissu osseux.

le tissu osseux avec un maximum d'efficacité minimisant ainsi les effets néfastes occasionnés par une augmentation de la résorption.

Un spécialiste a déjà qualifié l'effet de ces trois hormones — la vitamine D doit subir une transformation hormonale par l'entremise du foie et des reins afin de jouer son rôle dans l'absorption du calcium — sur l'ostéogénèse « un mécanisme d'une extrême délicatesse ». On ne saurait mieux dire. Les sécrétions de PTH et de calcitonine assurent le niveau constant du calcium dans le sang (peu importe combien la personne en consomme) et la vitamine hormonale D_3 fait de son mieux pour que les os obtiennent la dose de calcium dont ils ont besoin lors de l'intensification de la résorption. Toutefois, lorsque les carences alimentaires en calcium atteignent un niveau trop important, la vitamine D_3 ne peut plus jouer convenablement son rôle ; il faut alors en payer le prix pour que le taux sanguin de calcium se maintienne à un niveau raisonnable. Ce tribut à payer émarge au budget de votre tissu osseux.

Les spécialistes ne vont pas jusqu'à affirmer de façon péremptoire que les carences de calcium constituent la seule *cause* de l'ostéoporose ; mais, si l'on étudie les mécanismes qui régissent l'ostéogénèse, il est clair que le manque de calcium dans l'alimentation déclenche une activité hormonale qui encourage la résorption osseuse. Au cours de recherches, des cobayes soumis à un régime pauvre en calcium, mais bien équilibré en ce qui concerne les autres éléments nutritifs, ont fait de l'ostéoporose. Pour des raisons déontologiques, de telles expériences n'ont pas été entreprises sur les êtres humains, mais les résultats obtenus avec les animaux de laboratoire sont troublants. Une chose est certaine : le calcium, bien qu'extrêmement important, n'est qu'une pièce du puzzle au cours du processus où se manifeste l'influence réciproque complexe des facteurs responsables de la raréfaction accélérée du tissu osseux qui provoque l'ostéoporose. Cela nous amène à parler des personnes les plus susceptibles de souffrir de l'ostéoporose.

Chapitre II

Quelles sont les victimes de l'ostéoporose ?

Une question d'âge

Ce sont évidemment les personnes vieillissantes qui souffrent le plus d'ostéoporose, que l'on pourrait qualifier de maladie du troisième âge. Il faut du temps pour que les effets de la raréfaction du tissu osseux se manifestent sous forme de fractures. Celles-ci constituent en fait les seuls symptômes de la maladie. Certains aspects physiologiques du vieillissement augmentent également les possibilités d'ostéoporose. En effet, au fil des ans, vous n'absorbez plus le calcium avec la même efficacité que lorsque vous étiez plus jeune et votre régime peut également accuser des carences à ce chapitre, ce qui augmente les probabilités d'un manque de calcium dans le sang et, par conséquent, une augmentation de la résorption osseuse. Les sécrétions de calcitonine, qui combattent la résorption, baissent avec l'âge et, au terme d'études sur la question, on a découvert que les sécrétions d'hormone parathyroïdienne ou PTH, qui stimulent cette même résorption, augmentent avec le passage des années, du moins chez certaines personnes. En vieillissant, vous avez aussi besoin de plus de vitamine D afin de bien absorber la dose de calcium nécessaire. Il suffit que vous soyez grabataire ou hospitalisé à long terme pour ne pas recevoir une dose de soleil suffisante, car il ne faut pas oublier que l'exposition solaire facilite l'absorption de vitamine D. D'autre part, si vous ne faites pas assez d'exercice, vous courez également le risque de devenir ostéoporotique.

Une question de sexe

Les femmes risquent davantage de souffrir d'ostéoporose que les hommes et ce, pour plusieurs raisons. D'abord, leur ossature est plus délicate que celle des hommes dans une proportion de 30 pour 100. Elles ont donc moins de matière osseuse à perdre avant d'atteindre le point critique de la maladie où les fractures se déclarent. Malgré le fait que, selon les individus, il existe une foule de variations dans les facteurs provoquant la raréfaction du tissu osseux, on peut affirmer qu'en général les femmes commencent plus tôt et plus rapidement que les hommes à souffrir de la détérioration de leur ossature. Leur niveau de calcitonine est plus bas que celui des hommes et, par conséquent, elles ne peuvent combattre la maladie avec autant d'efficacité que ces derniers.

La matière osseuse corticale des hommes se détériore régulièrement à raison de 0,3 pour 100 par année (les chiffres concernant la matière trabéculaire sont légèrement plus élevés). En revanche, les femmes *commencent* à perdre 1 pour 100 de matière corticale et 1 pour 100 de matière trabéculaire par an ; or ce pourcentage augmente de manière effarante après la ménopause. De 3 à 7 ans après celle-ci, les pertes dues à la raréfaction osseuse atteignent parfois 3 pour 100 pour les deux types de matière osseuse et s'élèvent même jusqu'à 8 pour 100 dans certaines régions comme les vertèbres lombaires. Ces dernières sont abondamment composées de matière trabéculaire, sujette à la détérioration osseuse beaucoup plus rapide et de manière plus intense que la matière corticale. Au cours des 20 années suivant la ménopause, la raréfaction du tissu osseux peut réduire le poids d'un squelette de femme dans une proportion atteignant 30 pour 100.

Les femmes éprouvent également des difficultés avec le calcium. Elles l'absorbent avec moins d'efficacité que les hommes et leur alimentation accuse presque toujours des carences de cet élément. Aux États-Unis, les femmes consomment en général beaucoup moins de calcium que ne le recommandent les services fédéraux de santé, qui suggèrent d'en prendre quotidiennement 800 mg. Par crainte de grossir, elles évitent les aliments riches en calcium, comme les produits laitiers. L'un des spécialistes consultés estime que les adolescentes consomment beaucoup moins que les 1 200 mg recommandés par les services de santé et que les femmes adultes continuent à se priver ainsi de calcium jusqu'à la ménopause. Le calcium constituant l'un des éléments clés de l'ostéogénèse, ces femmes abordent leur ménopause avec une masse osseuse beaucoup moins dense, ce qui aggrave de manière

dévastatrice les effets que le vieillissement et les difficultés inhé-
rentes à leur sexe risquent d'avoir sur leur tissu osseux.

Une autre raison pour laquelle les femmes sont davantage
sujettes à souffrir d'ostéoporose dépend aussi de l'œstrogène. Des
études indiquent que cette hormone protège leur ossature et en
empêche même la détérioration. Lors de la ménopause, la dose
d'œstrogène produite par la plupart des femmes baisse de manière
impressionnante, malgré le fait que cette baisse varie beaucoup
selon les individus. Cette chute soudaine est certainement responsable de la raréfaction accélérée du tissu osseux dont souffrent
les femmes postménopausées. Le fait que les femmes non encore
ménopausées mais ayant subi une ablation des ovaires (glandes
produisant de l'œstrogène) ne tardent pas à montrer des signes
d'ostéoporose semble appuyer cette relation de cause à effet. On
remarque également que les femmes souffrant d'aménorrhée
(absence de menstruation) risquent davantage d'être victimes
d'ostéoporose, peut-être à cause d'un taux insuffisant d'œstrogène dans leur organisme. Enfin, on estime que celles qui ont
une ménopause précoce ont souvent tendance à souffrir de cette
maladie.

Une affaire d'hérédité...

Les femmes qui ont de proches parents ostéoporotiques courent
davantage le risque de subir les effets de cette hérédité. La masse
osseuse que l'on possède relève d'un facteur déterminé par le
patrimoine génétique qui fixe une limite de croissance au-delà de
laquelle les os cessent de se développer. Une famille où l'on
signale de nombreux cas d'ostéoporose comprend peut-être de
nombreux membres ayant hérité d'une charpente osseuse grêle
qui est sujette à devenir rapidement ostéoporotique.

... et de corpulence

Les personnes possédant certaines caractéristiques physiques
risquent beaucoup plus de souffrir d'ostéoporose. Par exemple,
à cause de leur squelette plus délicat et de leur masse osseuse
limitée, celles de petite taille offrent davantage de prise à la raréfaction du tissu osseux lors du vieillissement. Il en est de même

pour les femmes minces. En effet, dans ce cas, pour une raison mal connue, il semble que la corpulence offre une certaine protection. Il existe plusieurs théories à ce propos. Une veut qu'une tendance à l'embonpoint stimulerait la formation de matière osseuse à cause des efforts que le surplus de poids exige du squelette. On estime généralement que, lorsque la résistance du squelette se trouve sollicitée de manière raisonnable, l'ostéogénèse s'en trouve stimulée. Une autre théorie spécifie que les tissus adipeux de l'après-ménopause possèdent la faculté de transformer par le métabolisme les androgènes (substances hormonales mâles) faibles de l'organisme et de les modifier en œstrogènes, qui ont la faculté de protéger la masse osseuse.

Fréquence des fractures du bassin par pays ou par ville selon le sexe des victimes

	Femmes	*Hommes*	*Proportion femmes / hommes*
États-Unis (Rochester, Minn.)	101,6	50,5	2,01:1
Nouvelle-Zélande	96,8	35,2	1,79:1
Suède	87,2	38,2	2,75:1
Jérusalem	69,9	42,8	1,63:1
Royaume-Uni	63,1	29,3	2,15:1
Pays-Bas	51,1	28,5	1,80:1
Finlande	49,9	27,4	1,78:1
Yougoslavie*	39,2	37,9	1,03:1
Hong Kong	31,3	27,2	1,15:1
Yougoslavie +	17,3	18,2	0,95:1
Singapour	15,3	26,5	0,58:1
Bantous d'Afrique du Sud	5,3	5,6	0,94:1

* Régime pauvre en calcium
\+ Régime riche en calcium

L'âge des sujets a été ajusté selon les statistiques démographiques des États-Unis de 1970. Source : Gallagher, J.C., Melton, L.M., Riggs, B.L. et Bergstrath, E., in « Epidemiology of fractures of the proximal femur in Rochester, Minnesota » (Épidémiologie des fractures dans la région du col du fémur à Rochester), *Clin Orthop* 152:35-43, 1980.

La couleur de la peau

Les femmes à la peau claire sont davantage visées. En effet, les Noires sont très rarement ostéoporotiques, parce qu'elles possèdent une masse osseuse plus volumineuse que celle des Blanches (10 pour 100 de plus en moyenne). On constate cependant d'importantes variations sur le plan individuel parmi les personnes de race blanche ; bien qu'on ne sache exactement pourquoi, celles dont la peau est très claire risquent davantage de faire de l'ostéoporose. On soupçonne toutefois qu'il existe une relation de cause à effet entre la pigmentation de la peau et l'absorption de la vitamine A.

Une question d'environnement

Ironie du sort, l'ostéoporose est une maladie qui affecte les peuples privilégiés. Si vous vivez dans des pays industrialisés comme ceux d'Amérique du Nord ou d'Europe (par exemple, en Scandinavie), vous risquez davantage d'en souffrir que les habitants du tiers monde. Au cours d'une étude menée en 1980, où l'on interrogea notamment des Américains, des Suédois, des Yougoslaves, des Britanniques ainsi que des Bantous d'Afrique du Sud, on découvrit que ces derniers — des gens non précisément gâtés du point de vue de la nutrition et de la prophylaxie — possédaient la fréquence la plus faible de fractures des os du bassin. Il est impossible d'expliquer avec certitude pourquoi les ruraux souvent sous-alimentés des pays en voie de développement sont relativement peu affligés par l'ostéoporose alors que les habitants des pays riches, bénéficiant d'une nourriture plus abondante, ont de fréquentes fractures. Il existe plusieurs explications possibles. Tout d'abord, les citoyens des pays en voie de développement sont souvent des gens de couleur et nous avons vu, par exemple, comment les Noirs étaient mieux protégés contre cette maladie. D'autre part, les habitants des pays industrialisés ont tendance à vivre plus longtemps et l'ostéoporose est une maladie du troisième âge, même si elle se manifeste beaucoup plus tôt que cela. Le fait que les personnes de cet âge consomment beaucoup de protéines et que nombre d'entre elles mènent une vie sédentaire peut également avoir un rôle à jouer.

L'allergie au lait

Parmi ceux et celles qui risquent davantage de souffrir d'ostéoporose, on en trouve un bon nombre — notamment en Amérique du Nord — qui sont incapables de consommer des produits laitiers ou, plus précisément, qui sont allergiques au lactose, sucre fermentescible contenu dans le lait des mammifères et que l'on trouve dans ces produits. Placés dans l'impossibilité de consommer un ensemble d'aliments constituant l'une des meilleures sources alimentaires de calcium, les gens affligés d'alactase (déficience ainsi nommée parce que leur organisme ne sécrète pas de lact*ase,* enzyme possédant la propriété de dédoubler le lact*ose* en glucose et en galactose) risquent davantage de souffrir d'une raréfaction du tissu osseux. Dans le chapitre III, on trouvera quelques moyens très simples de surmonter les conséquences de cette allergie.

Le manque d'exercice

Les personnes qui ne font aucun exercice sont beaucoup plus sujettes à faire de l'ostéoporose. Des études entreprises dans des hôpitaux pour malades chroniques ont démontré que l'immobilisation et l'alitement à long terme se traduisent par une perte rapide de la matière osseuse. À l'inverse, on a constaté dans plusieurs études que les personnes qui pratiquaient régulièrement de légers exercices destinés à faire travailler leur ossature parvenaient à freiner la perte du tissu osseux et même à augmenter leur masse osseuse. (Ces études sont sujettes à controverse et nous y reviendrons au chapitre V.) On soupçonne également l'exercice physique de faciliter l'absorption du calcium par les os. Ceux et celles qui ne font pas d'exercice possèdent moins de muscles et nous avons vu qu'une réduction de la musculature pouvait constituer l'un des facteurs responsables de l'ostéoporose.

Qu'est-ce qu'un coefficient de risques ?

Aucune des caractéristiques dont nous avons parlé ci-dessus — âge, sexe, hérédité, taille, poids, couleur, environnement, allergie au lait, manque d'exercice — ne peut être définie comme les *causes* de l'ostéoporose, celles-ci n'étant pas encore connues.

Mais bien des indices donnent à penser que les carences de calcium et d'œstrogène sont les éléments les plus suspects. Être une personne âgée, sédentaire, de sexe féminin, de petite taille, posséder une charpente délicate, constituent des *coefficients de risques ;* en d'autres termes, on a prouvé que les ostéoporotiques présentaient davantage de ces caractéristiques que l'ensemble de la population. Autrement dit, posséder de fines attaches ou avoir les cheveux blonds ne vous condamnent pas de manière irrémédiable à être ostéoporotique, mais, sur le plan statistique, ces facteurs jouent contre vous.

Un grand nombre de particularités physiques, de modes de vie et d'habitudes alimentaires semble augmenter les risques d'ostéoporose ; mais il faut insister sur le fait que les médecins ne s'entendent guère sur l'importance des coefficients de risques individuels. Grâce à l'expérimentation, on a pu établir presque à coup sûr un lien entre certains de ces facteurs et la présence d'ostéoporose chez un malade ; dans d'autres cas, ces mêmes coefficients tiennent davantage de l'anecdote ou de l'expérience personnelle du médecin, si bien qu'il est difficile pour les autres praticiens et praticiennes de les accepter comme preuves irréfutables.

Vous êtes ce que vous mangez et ce que vous buvez

COEFFICIENTS DE RISQUES ALIMENTAIRES. La grande majorité des coefficients de risques concernent l'alimentation. Ce sont également ceux à propos desquels les avis diffèrent le plus. Il est hors de tout doute que la façon dont nous nous alimentons joue un rôle de premier plan dans notre santé osseuse, mais, souvent, le rôle exact que nos aliments solides ou liquides jouent dans l'ostéogénèse ou la raréfaction osseuse est inconnu et les données qui sont censées en établir la preuve sont plutôt vagues.

LES BOISSONS ALCOOLIQUES. Les chercheurs sont unanimes ou presque pour dire que les boissons alcooliques constituent l'un des facteurs les plus négatifs parmi les causes de l'ostéoporose et, ce qui est le plus troublant, c'est qu'on a la preuve qu'il n'est pas nécessaire d'être grand buveur. Une étude récente, menée auprès d'hommes s'adonnant à un éthylisme mondain modéré —

c'est-à-dire consommant de un à deux verres de boisson alcoolique par jour —, a démontré qu'ils risquaient deux fois plus de souffrir d'ostéoporose que les abstinents. L'alcool non seulement freine l'absorption du calcium, mais a des effets négatifs sur l'état général du tissu osseux.

LA NICOTINE. La cigarette semble également favoriser l'ostéoporose, bien que certains spécialistes estiment que les preuves concernant le tabagisme sont moins convaincantes que celles concernant l'alcool. Une étude récente, entreprise auprès de femmes fumant plus d'un paquet de cigarettes par jour, a démontré qu'elles avaient un taux d'œstrogène inférieur à celui des non-fumeuses. Or on sait qu'une carence d'œstrogène constitue, à n'en pas douter, l'un des facteurs principaux responsables de l'ostéoporose. Certains médecins laissent entendre que la cigarette, tout comme l'alcool, est mauvaise pour les os parce que la nicotine rétrécit les vaisseaux sanguins, ce qui peut perturber l'irrigation de la matière osseuse.

LA CAFÉINE. La caféine, elle non plus, ne serait pas étrangère au développement de l'ostéoporose, principalement parce qu'elle augmente les pertes de calcium. Si vous buvez beaucoup de café, une proportion importante de calcium est évacuée dans l'urine, ce qui signifie que vos os en absorbent moins. On a découvert également que les médicaments antiacides contenant des substances dérivées de l'aluminium freinent l'absorption du calcium.

Ces coefficients de risques sont causés par ce qu'il est convenu d'appeler de « mauvaises habitudes ». Assurément, vous *passer* d'alcool, de cigarettes ou de caféine (et certainement d'aluminium) dépend de vous : y parvenir témoignerait de votre souci de vous rendre service à vous-même ainsi qu'à votre squelette. Signalons qu'il existe un certain nombre de produits alimentaires essentiels au maintien de votre santé s'ils sont consommés en quantités raisonnables. Mais, absorbés en trop grandes quantités, ils risquent d'augmenter le danger d'ostéoporose.

LES PROTÉINES. Ces macromolécules sont généralement considérées comme un coefficient de risques, car elles augmentent la présence de calcium dans les urines. Un spécialiste estime qu'une femme d'environ 60 kg (130 lb) n'a besoin que de 50 g de protéines par jour. « En consommer plus constitue un véritable gaspillage », affirme-t-il. Le corps emmagasine tout excès sous forme de graisse, brûle l'azote et le soufre qui restent, puis rejette l'excédent. Malheureusement, au cours de ce processus, il rejette aussi du précieux calcium.

LE PHOSPHORE. Le phosphore, élément contenu généralement dans les aliments riches en protéines (comme le bœuf, la volaille et le pain fabriqué industriellement), contribuerait également à favoriser l'apparition d'ostéoporose, bien que l'association de cette substance avec la maladie soit discutable. De nombreux spécialistes en diététique affirment sans preuve à l'appui qu'un régime trop riche en phosphore perturbe l'absorption de calcium. Ces deux substances se trouvent dans les os selon des proportions fixes ; or on laisse entendre que, si les os absorbent convenablement le phosphore à haute dose, l'absorption de calcium décroît proportionnellement. Les médecins n'en sont pas convaincus : des études ont en effet prouvé que le phosphore abaisse plutôt les excrétions urinaires de calcium, même s'il augmente la déperdition de ce dernier dans les matières fécales. Il n'y a probablement pas lieu de s'inquiéter outre mesure de la présence de phosphore dans l'organisme. Il est vrai toutefois que de nombreux régimes alimentaires contiennent beaucoup trop de cette substance, pourtant essentielle à l'organisme. Une chose est certaine : remplacer le lait (riche en calcium) par des boissons gazeuses diététiques (très riches en phosphore) n'est pas une bonne idée.

AUTRES FACTEURS D'ORDRE DIÉTÉTIQUE. Il existe certains facteurs d'ordre diététique à propos desquels on peut encore moins se prononcer, souvent pour la simple raison qu'aucune étude sérieuse n'a encore été entreprise à leur sujet. Le peu que nous connaissons sur les relations existant entre la corpulence et l'ostéoporose, par exemple, indique que, si une proportion raisonnable de tissus adipeux contribue à faciliter une meilleure absorption du calcium, des proportions plus importantes peuvent avoir l'effet contraire. L'acide oxalique est une autre substance qui aurait un effet négatif sur l'absorption du calcium, ce qui est dommage ; certains des aliments qui en contiennent (épinard, persil, fane de betterave) ont aussi beaucoup de calcium. Certains experts croient qu'une carence de magnésium se traduirait par des malformations osseuses, mais on n'a pu établir de lien entre l'ostéoporose et cette carence. Si votre alimentation contient suffisamment de protéines et de calories, votre organisme reçoit probablement tout le magnésium dont il a besoin.

Il existe aussi un certain nombre de médicaments qui semblent causer la raréfaction du tissu osseux et, par conséquent, encourager le développement de l'ostéoporose. Les médicaments les plus couramment utilisés par les femmes d'un certain âge, menacées par l'ostéroporose, sont probablement les corticostéroïdes. On les prescrit souvent pour traiter l'arthrite. Les personnes qui souffrent de cette affection devraient donc être conscientes de l'accroissement possible des risques d'ostéoporose présentés par ceux-ci.

Le rôle de la vitamine D dans l'apparition de l'ostéoporose est complexe et nous aurons l'occasion d'y revenir dans les chapitres III et IV. La forme hormonale de la vitamine D_3 est des plus importantes pour assurer une bonne absorption du calcium ; le manque de vitamine D chez les personnes âgées peut jouer un rôle dans la détérioration osseuse qui se manifeste chez elles. Très peu de Nord-Américains actifs accusent toutefois des carences de vitamine D et ce, grâce à l'addition de celle-ci dans le lait et à un climat généralement ensoleillé.

La prévention

Tout cela semble nébuleux, n'est-ce pas ? On ne connaît pas avec certitude les causes de l'ostéoporose et les médecins ne peuvent se mettre d'accord sur les caractéristiques physiques et les substances alimentaires susceptibles d'en augmenter les risques. Comment, direz-vous, pouvons-nous donc apprendre à nous protéger contre une affection à propos de laquelle nous nous posons encore tant de questions ?

Il faut d'abord nous rappeler que les chercheurs en médecine sont des gens qui — et c'est fort bien ainsi — font preuve d'une prudence extrême. Ils doivent posséder un grand nombre de preuves avant d'affirmer avec certitude que, par exemple, ce sont les carences de calcium qui causent l'ostéoporose. Une femme désireuse d'éviter cette maladie peut toutefois se permettre d'être moins rigoureuse quant aux preuves. Si une substance donnée est susceptible de favoriser les risques d'ostéoporose, pourquoi ne pas tout simplement en diminuer la consommation ou s'en passer ? Si certains minéraux ou certaines vitamines sont absents de l'alimentation, pourquoi ne pas nous assurer que nous n'en manquons pas ? (Une mise en garde toutefois : il est toujours dangereux d'augmenter la consommation de toute substance de façon désordonnée. Certaines vitamines, y compris la vitamine D, s'accumulent parfois très rapidement dans le sang jusqu'à atteindre des niveaux toxiques.) La connaissance des coefficients de risques existant en rapport avec l'ostéoporose nous aide à la prévenir.

En résumé, voici certaines des caractéristiques physiques qui semblent offrir un terrain favorable au développement de l'ostéoporose :

Facteurs de risques physiques

Âge avancé	Petite taille
Sexe féminin	Poids réduit
Carence d'œstrogène	Peau claire
Cas d'ostéoporose dans la famille	Alactasie (allergie au lait)

Même si vous ne pouvez pas faire grand-chose pour contrer les facteurs de risques énumérés ci-dessus, il vous est *possible,* en modifiant simplement vos habitudes alimentaires ou votre façon de vivre, d'avoir prise sur ces facteurs que l'on soupçonne d'augmenter les risques d'ostéoporose.

Facteurs influencés par l'alimentation ou le mode de vie	
Carence de calcium	Consommation élevée de protéines
Manque d'exercice	Consommation élevée de phosphore
Consommation excessive de boissons alcooliques	Consommation élevée de graisses
Tabagisme (surtout la cigarette)	Consommation élevée d'acide oxalique
Consommation excessive de caféine	Carence de magnésium
Consommation d'antiacides à base d'aluminium	Usage de corticostéroïdes

Rappelons-nous que les médecins ne s'entendent pas sur tous ces facteurs de risques et que la présence de phosphore ou de magnésium dans l'organisme est sujette à une vive controverse.

Il est cependant utile de garder tous ces facteurs en mémoire, car il n'existe *aucun traitement* pour l'ostéoporose. Certains traitements sont de nature à freiner la raréfaction des tissus osseux et, sur le plan expérimental, il en existe d'autres qui favoriseraient la restauration de la matière osseuse (voir chapitre VIII) ; mais, répétons-le, aucun traitement n'a encore fait ses preuves. La meilleure protection contre les méfaits de cette maladie est encore la prévention ; elle consiste à s'assurer une ossature plus solide et plus résistante de manière à ne pas avoir plus tard un squelette affaibli. Dans la partie suivante, nous expliquerons comment tout mettre en œuvre pour atteindre cet objectif.

DEUXIÈME PARTIE

COMMENT PRÉVENIR
L'OSTÉOPOROSE

Chapitre III

Comment s'assurer une ossature à résistance optimale avant la ménopause

Pour prévenir l'ostéoporose, les meilleures années de la vie d'une femme sont celles qui sont comprises dans les décennies qui *précèdent* l'âge de 35 ans, lorsque l'ossature atteint sa masse optimale. Presque tous les praticiens et praticiennes s'entendent pour dire que le meilleur moyen de faire échec à l'ostéoporose est de posséder un maximum de masse osseuse avant 35 ans. Plus vous possédez de tissu osseux et plus vous êtes en situation pour en perdre au cours de l'inévitable processus de vieillissement. Les femmes postménopausées sont en mesure d'agir de différentes façons pour abaisser le taux de dégradation osseuse (voir chapitre VI), mais il reste à prouver qu'elles puissent, après 35 ans, renforcer leur ossature. Ainsi, même si l'ostéoporose est une maladie du vieillissement, sa prévention doit être planifiée dès la jeunesse.

Pour les femmes préménopausées, les deux piliers de la prévention sont un régime contenant suffisamment de calcium ainsi que des exercices forçant l'ossature à supporter une charge.

Un régime suffisant en calcium

Même si la dose recommandée par les services fédéraux américains de santé s'élève à 800 mg de calcium par jour, les organismes nationaux de santé publique estiment que 1 000 mg constituent un chiffre beaucoup plus réaliste pour les femmes préménopausées. Pour leur part, les adolescents devraient consommer quotidiennement jusqu'à 1 200 mg de calcium. Dans le premier chapitre, nous avons expliqué combien le calcium était essentiel à la structuration de la masse osseuse ; en effet, jusqu'à

500 mg sont déposés quotidiennement dans les os au cours de l'ostéogénèse maximale produite durant l'adolescence et le squelette continue à exiger de grandes quantités de calcium chez les jeunes adultes, lorsque leurs os continuent à densifier.

La quantité de calcium requise	
	mg par jour
Adolescents	1 200
Adolescentes enceintes	1 600
Femmes enceintes	1 000
Femmes postménopausées ne bénéficiant pas d'œstrogénothérapie	1 500
Femmes ménopausées sous œstrogénothérapie	1 000

Les adolescentes

Dans la catégorie des femmes préménopausées, il existe deux groupes spéciaux dont les besoins en calcium sont encore plus élevés. Dans l'ordre chronologique, le premier groupe comprend les adolescentes. Leurs os étant encore en phase de croissance, elles ont besoin de plus de calcium que les adultes (1 200 mg, comme nous l'avons noté ci-dessus) ; on doit également les encourager à éviter les mauvaises habitudes risquant de soustraire à leur organisme le calcium dont il a besoin. Les mères d'adolescentes devraient mettre leurs filles en garde contre les régimes-chocs, contre la consommation de boissons gazeuses diététiques au lieu de lait — un bon moyen de ne pas absorber suffisamment de calcium —, contre tous les régimes ayant tendance à éliminer les produits laitiers sous prétexte qu'ils font grossir — et qui pourtant sont riches en calcium. Par ailleurs, les adolescents sont également sensibles aux plaisirs défendus mais à la mode, comme la cigarette et l'alcool, qui sont néfastes pour les os. Les mères avisées doivent expliquer à leurs filles les dangers de ces attrayantes manies d'adultes. Le risque de faire de l'ostéoporose constitue une raison de plus pour que l'adolescente ne fume ni ne consomme d'alcool de manière immodérée.

Les femmes enceintes et celles qui allaitent

Le deuxième groupe de femmes préménopausées ayant besoin d'un surplus de calcium est celui des femmes enceintes et des femmes qui allaitent. Au cours du dernier trimestre de la grossesse, le fœtus s'approprie quotidiennement de 200 à 300 mg de calcium. Si le régime de la mère n'en contient pas suffisamment, les os se décalcifieront pour assurer les besoins du bébé. Dans le même ordre d'idées, si une femme qui allaite ne consomme pas suffisamment de calcium, ses os pallieront ce manque afin d'en maintenir un niveau constant dans son lait. Cependant, dame Nature fait bien les choses pour faciliter la tâche aux mères. En effet, les femmes enceintes absorbent le calcium de manière beaucoup plus efficace que les autres ; par exemple, leur organisme retient plus qu'auparavant le calcium contenu dans un verre de lait. Cela ne dispense pas toutefois les femmes enceintes d'absorber une généreuse dose de calcium. Selon les normes américaines, on recommande aux femmes enceintes et à celles qui allaitent une dose quotidienne de 1 200 mg. Les adolescentes enceintes, qui ont besoin de calcium non seulement pour leur bébé mais aussi pour la croissance de leurs propres os, doivent en recevoir 1 600 mg. La meilleure source de calcium pendant la grossesse et la lactation est encore le lait. Essayez d'en boire quatre verres par jour.

Les dangers associés à la consommation massive de calcium

Les seuls dangers associés à la consommation massive de calcium au cours des années précédant la ménopause résident dans la possibilité de faire des calculs rénaux, une affection douloureuse des voies urinaires. Les femmes qui ont de tels calculs dans leur famille devraient consulter leur médecin avant de consommer de fortes quantités de calcium. Toutefois, pour la plupart des gens, doubler ou même tripler une quantité insuffisante de calcium ne peuvent que se révéler bénéfiques, à condition que cette substance soit consommée convenablement. Pour plus de sécurité, buvez abondamment.

Dans le premier chapitre, nous avons vu que la vitamine D est essentielle à la bonne absorption du calcium. Ce sont cependant les personnes âgées qui éprouvent des difficultés à cause des carences de vitamine D ou encore à cause d'une mauvaise transformation métabolique de cette vitamine. Dans le chapitre VI, nous traiterons en détail de ces problèmes spéciaux.

Plusieurs des coefficients de risques dont il est question au chapitre II — surtout ceux ayant trait aux habitudes alimentaires — augmentent les risques d'ostéoporose en offrant à votre organisme des occasions de gaspiller le calcium. Si vous avez vraiment l'intention d'absorber une dose de calcium raisonnable dans de bonnes conditions, la consommation de certains produits alimentaires devrait être soit bannie de votre régime, soit, pour le moins, réduite à sa plus simple expression.

L'alcool, la caféine, la nicotine sont des éléments nettement néfastes pour votre santé et celle de vos os. Essayez donc d'en réduire la consommation. Si votre estomac est dérangé, essayez de boire du lait au lieu de prendre des comprimés d'antiacide à base d'aluminium. Vous avez besoin de protéines, bien sûr, mais point n'est besoin de manger de la viande rouge à tous les repas. La viande est riche en protéines et une consommation excessive de ces macromolécules provoque une évacuation excessive du calcium par les voies urinaires. Vous devriez également éviter les excès de phosphore, de gras et d'acide oxalique. Surveillez le magnésium afin de vous assurer que vous en prenez en quantité raisonnable (la dose recommandée est de 400 mg). L'effet des carences de magnésium sur l'ostéoporose n'est pas évident, mais vos os emmagasinent ce métal essentiel et il n'est pas exclu qu'il existe un rapport entre l'absence de ce dernier et l'ostéoporose.

La meilleure source de calcium se trouve sans nul doute dans les produits laitiers. Un verre de lait de 250 mL, entier ou écrémé, contient près de 300 mg de calcium ; une trentaine de g de fromage (un cube de 2,5 cm de côté) en contient plus de 200, tandis que 250 mL de yogourt recèlent autant de calcium qu'un verre de lait. Le fromage blanc et le fromage cottage contiennent beaucoup de calcium, mais aussi une bonne dose de phosphore. Le fromage suisse et le gruyère contiennent plus de calcium que le cheddar.

En réalité, tous les fromages sont de bonnes sources de calcium. La crème glacée et la crème sure, bien que riches en gras, en contiennent beaucoup ; ainsi, 225 g de crème glacée équivalent à 250 mL de lait et la même dose de crème sure en contient encore plus. Les desserts au lait de toutes sortes sont de bonnes sources de calcium et, en particulier, les flans et crèmes pâtissières.

Un régime riche en calcium fait-il grossir ?

Sauf le lait écrémé, les produits laitiers contiennent plus de calories que d'autres. Toutefois, si vous faites de l'exercice (cet autre rempart contre l'ostéoporose), vous devriez éviter tout stockage de kilos superflus. Il est indubitable que l'exercice constitue le moyen le plus bénéfique d'affermir les muscles et de perdre du poids. Il vaut bien des régimes ridicules auxquels, la plupart du temps, on met rapidement un terme. La preuve en est faite. Peu importe combien de livres vous perdez en suivant un régime draconien, vous ne tardez pas à les récupérer dès que vous reprenez vos habitudes alimentaires. Une modification permanente de votre régime, associée à un programme d'exercices bien compris vous permettront d'avoir le poids idéal. C'est également le meilleur moyen de prévenir l'ostéoporose. Éliminer les produits laitiers présumément trop riches en graisses ne constitue pas le meilleur moyen de rester svelte.

Que dire des allergies aux produits laitiers ?

Si vous êtes une personne allergique au lait (et donc exposée à l'ostéoporose, comme il est expliqué au chapitre II), vous trouverez dans les pharmacies l'enzyme qui vous fait défaut : la lactase, avec laquelle vous traitez le lait afin d'en digérer le lact*ose*. Ce dernier est le sucre fermentescible du lait auquel réagissent les allergiques ; rappelons que la lac*tase* est l'enzyme qui permet de l'assimiler. Il est également possible de se procurer du lait pauvre en lactose, ainsi que du fromage cottage. Dans certains produits laitiers comme le yogourt, les bactéries ont prédigéré le lactose, ce qui vous facilite la tâche.

⟍ Aliments à haute teneur en calcium

D'autres aliments, comme certains poissons, contiennent également beaucoup de calcium. Une petite portion de perche au four contient 100 mg de calcium ; 100 g de pétoncles à la vapeur en contiennent 115 mg. Plusieurs sortes de poissons en boîte constituent d'excellentes sources de calcium. Le hareng, le maquereau, le saumon sockeye et les sardines (à condition d'en manger également les arêtes molles) sont de bons exemples. Si vous assistez à une réception où l'on vous présente des huîtres sur écailles, n'hésitez pas à en manger votre demi-douzaine, car cela représente quelque 100 mg de calcium.

Les noix et les fruits secs de toutes sortes sont également riches en calcium. Ils ne sont toutefois guère diététiques. Ainsi, une dizaine d'amandes non salées en fournissent 25 mg, mais contiennent aussi 60 calories. Ces fruits ne constituent pas l'apport idéal de calcium dans votre régime, mais, la prochaine fois que vous croquerez 100 g d'arachides salées avec leur pellicule, consolez-vous en vous disant que cela en représente 72 mg.

Certains légumes sont aussi d'excellentes sources de cet élément, en particulier leurs feuilles, que l'on consomme assez rarement. Essayez de consommer des pissenlits, des feuilles de chou marin, de turnep (navet fourrager), de chou frisé. Il existe aussi des légumes plus traditionnels dont la teneur en calcium est appréciable, à condition de les manger crus. C'est le cas du céleri, du brocoli et des épinards ; souvenez-vous toutefois que ces derniers contiennent de l'acide oxalique en quantité appréciable et qu'il faut donc les consommer avec modération. Même s'il n'est guère courant de manger de l'artichaut cru, il est intéressant de noter que, consommé ainsi, un spécimen de bonne taille fournit 102 mg de calcium — la moitié seulement quand il est cuit. Les haricots en contiennent également une bonne quantité. Crus ou cuits, ils fournissent approximativement 50 mg par portion de 250 mL (une tasse).

Dans l'ensemble, les fruits ne constituent pas une source importante de calcium, sauf certains fruits secs qui, de plus, ont un effet salutaire sur la digestion. Citons les figues, les pruneaux (non cuits) et les raisins. Ces derniers sont excellents ; la valeur d'une tasse (250 mL) contient 100 mg de calcium.

Le tofu, à base de soja, compte non seulement de nombreux éléments nutritifs, mais aussi beaucoup de calcium. Étant donné sa fermeté, on peut le couper en dés, le mélanger aux soupes, l'incorporer aux sauces pour les épaissir. Il s'agit donc là d'une source de calcium aisément disponible, tout comme les germes de soja d'ailleurs.

Tous les pains ne regorgent pas de calcium, sauf ceux à base de maïs et les crêpes de sarrasin qui en ont une quantité appréciable. Certaines céréales en offrent aussi ; les mamans seraient cependant bien avisées si elles mangeaient de préférence les céréales de leur bébé, qui en contiennent *réellement* beaucoup. Les flocons d'avoine et de blé, et les céréales de blé entier sont hautement recommandées, surtout avec du lait.

Un fait anecdotique en passant : si vous connaissiez un boucher capable de vous fournir régulièrement de la viande d'alligator, vous n'auriez plus à vous préoccuper de vos besoins en calcium. En effet, 100 g de cette viande pour le moins inhabituelle renferment 1 231 mg de calcium ! De quoi avoir envie de ronger son sac à main en croco...

Souvenez-vous qu'il existe suffisamment d'aliments riches en calcium pour ne pas dépendre exclusivement des produits laitiers. Rappelons cependant que les femmes enceintes devraient boire beaucoup de lait, non seulement pour le calcium mais aussi pour tous les autres minéraux essentiels. C'est avant 35 ans qu'il faut surveiller la teneur en calcium de son régime ; tout ce que vous mangez avant cet âge contribue à vous faire acquérir une masse osseuse à la qualité optimale. Non seulement vous aborderez les années dangereuses de la postménopause nantie d'une ossature en parfait état, mais vous aurez acquis de bonnes habitudes alimentaires qui vous permettront d'être fin prête lorsque la déperdition de calcium commencera à se manifester. Il n'existe pas de preuve absolue que la consommation d'une dose raisonnable de calcium après la ménopause réduira automatiquement votre taux de déperdition de matière osseuse. C'est du moins ce que soutiennent avec passion certains médecins. Une chose est certaine : l'absorption de calcium ne peut se révéler néfaste. Après la ménopause, lorsque la dose quotidienne de calcium nécessaire à une femme monte à 1 500 mg, il lui faudra peut-être prendre des suppléments calciques pour atteindre ce niveau. Nous en reparlerons à la page 114. Si vous en ressentez la nécessité, ne manquez pas de prendre vos suppléments avant d'atteindre la ménopause. Le Dr Robert P. Heaney, de l'université Creighton, souligne qu'avant la ménopause la femme devrait trouver tout le calcium voulu dans sa nourriture habituelle. Mieux vaut aller chez l'épicier que chez le pharmacien.

Chapitre IV

Menus et recettes à haute teneur en calcium

Voici des menus types pour 4 semaines, certaines recettes riches en calcium, ainsi que des trucs quasi magiques pour augmenter votre consommation de calcium sans suivre de régime assommant.

À propos des menus

1. Entendons-nous sur les quantités : « une tasse » signifie 8 onces (oz), soit 250 millilitres (mL).

2. Pour obtenir la quantité de calcium nécessaire, il vous faut boire un verre de lait presque tous les jours. Le lait constitue un aliment essentiel qui vous permet d'obtenir toutes les vitamines et tous les minéraux indispensables. Vous n'avez pas à vous inquiéter des calories si vous prenez du lait écrémé ; si vous n'aimez pas le lait, disons qu'un verre est vite avalé. Si vous êtes allergique à ce liquide, rappelez-vous que la lactase en facilite la digestion.

3. Vous remarquerez que les menus qui suivent présentent souvent des épinards, malgré le fait que ce légume contient de l'acide oxalique qui freine l'absorption du calcium. Sa teneur exceptionnelle en calcium — ce n'est pas le cas pour tous les légumes — lui accorde une place de choix dans votre régime.

4. Ces menus sont en général hypocaloriques. Si vous pesez 50 kg et désirez maintenir votre poids, vous devez absorber entre 1 400 et 1 850 calories par jour — un peu plus si vous avez moins de 35 ans, un peu moins si vous les dépassez. Tous les menus quotidiens ont moins de 1 850 calories et seuls 13 d'entre eux en contiennent plus de 1 400, c'est-à-dire le nombre de calories que les femmes au-delà de 50 ans pesant 50 kg devraient absorber.

5. Je n'ai pas parlé de la caféine, qui est mauvaise pour l'absorption du calcium, mais j'admets en toute franchise que je ne saurais me passer de mes deux tasses de café au petit déjeuner. Si vous êtes comme moi, essayez toutefois de ne consommer qu'un minimum de café. Noir, il ne contient en fait ni calories ni calcium. Le café décaféiné offre un bon compromis. Je recommande également de ne consommer qu'un minimum de boissons alcooliques à cause de leur effet néfaste sur l'absorption calcique. Toutefois, si vous buvez du vin en mangeant, accompagné d'eau minérale comme le font les Européens, les dégâts causés à votre ossature seront moindres. On dit que les bières sans alcool sont fort acceptables. Souvenez-vous que la modération est toujours de mise.

Calcium et calories

Aliment et quantité	mg de calcium	calories
Produits laitiers		
Lait entier, 250 mL (1 tasse)	298	180
Lait écrémé, 250 mL (1 tasse)	300	90
Lait écrémé en poudre, 15 mL (1 c. à table)	49	14
Lait écrémé vitaminé, 250 mL (1 tasse)	359	105
Lait évaporé en boîte, 125 mL (½ tasse)	252	137
Yogourt de lait entier, 250 mL (1 tasse)	297	150
Yogourt écrémé, 250 mL (1 tasse)	300	145
Babeurre, 250 mL (1 tasse)	285	99
Parmesan, env. 30 g (1 oz)	320	110
Gruyère, env. 30 g (1 oz)	287	115
Édam, env. 30 g (1 oz)	225	100
Fromage suisse, env. 30 g (1 oz)	272	95
Cheddar canadien, env. 30 g (1 oz)	211	112
Mozzarella mi-écrémé, env. 30 g (1 oz)	207	80
Ricotta, mi-écrémé, 250 mL (1 tasse)	669	340

Aliment et quantité	mg de calcium	calories
Fromage cottage, ordinaire, env. 250 mL (1 tasse)	126	217
Fromage cottage écrémé, env. 250 mL (1 tasse)	138	165
Fromage à la crème, env. 30 g (1 oz)	17	105
Autres fromages, env. 30 g en moyenne (1 oz)	150-200	100-130
Crème légère, 125 mL (½ tasse)	180	350
Tofu, 100 g (3,5 g)	128	80
Lait de soja, 250 mL (1 tasse)	48	75

Soupes (une portion = Chaudrée de palourdes (clam chowder)

À la Manhattan	34	81
À la Nouvelle-Angleterre	91	130
Ragoût d'huîtres	158	120
Crème de pommes de terre	62	115

Haricots et fèves (une portion = 250 mL, soit 1 tasse)

Fèves de soja, cuites	131	234
Haricots jaunes, cuits	63	280
Haricots rouges, cuits	70	218
Haricots blancs, cuits	95	224
Fèves de Lima, cuites	55	262

Desserts

Mélasse brute, 15 mL (1 c. à table)	137	43
Crème glacée, 250 mL (1 tasse)	176	300
Lait glacé, 250 mL (1 tasse)	176	184
Pouding au riz avec raisins secs, 250 mL (1 tasse)	260	387
Eggnog, 250 mL (1 tasse)	330	342
Pouding au tapioca, 250 mL (1 tasse)	173	221

Légumes (une portion = 250 mL, soit 1 tasse)

Pissenlits crus	374	90
Feuilles de chou marin	300	60
Brocoli	144	40

Aliment et quantité	mg de calcium	calories
Épinards	160	40
Haricots verts	62	30
Chou frisé	206	43
Persil cru	122	26
Bette poirée, cuite	106	26
Gombo (okra)	147	46
Citrouille, cuite	60	61
Carottes	51	48
Choucroute	85	42
Germes de luzerne	51	41
Choux de Bruxelles	50	45
Oignons	50	61
Chou cuit	64	29
Feuilles de betteraves, de navet fourrager (turnep), de moutarde ; chicorée, scarole, feuilles de carottes, tiges de céleri	100-200	25
Navet fourrager (turnep)	34	36
Fruits		
Orange, 1	54	64
Pastèque, 1 tranche de 10 × 20 cm (4″ × 8″)	65	156
Dattes dénoyautées, 10	60	274
Abricots séchés, 250 mL (1 tasse)	100	338
Rhubarbe, 250 mL (1 tasse)	20	117
Raisins secs, 250 mL (1 tasse)	102	477
Fraises, 250 mL (1 tasse)	32	56
Thés (par 100 g)		
Bancha, de toute bonne provenance	720	—
Thé noir	460	—
Thé vert	440	—
Algues (par 100 g)		
Miso	140	*

Aliment et quantité	mg de calcium	calories
Agar-agar	400	*
Algues rouges	1 170	*
Hijiki	1 400	*
Varech	1 093	*
Kombu	800	*
Nori	260	*
Wakame	1 300	*
* Non disponible		

Poissons

Sardine, 115 g (¼ lb)	496	232
Saumon en boîte, 250 mL (1 tasse)	431	310
Saumon frais, 115 g (¼ lb)	90	246
Maquereau en boîte, 250 mL (1 tasse)	338	384
Hareng en boîte, 250 mL (1 tasse)	65	416
Hareng frais, 115 g (¼ lb)	294	200
Huîtres en boîte, 250 mL (1 tasse)	57	158
Huîtres fraîches, 115 g (¼ lb)	106	75
Escargots, 100 g (3,5 oz)	170	90
Aiglefin, 115 g (4 oz)	45	180
La plupart des autres poissons, 115 g (4 oz)	25-50	180

Noix et graines

Noisettes, 125 mL (½ tasse)	141	428
Noix du Brésil, 125 mL (½ tasse)	180	458
Amandes, 125 mL (½ tasse)	166	425
Noix de Grenoble, 125 mL (½ tasse)	50	325
Graines de sésame, 125 mL (½ tasse)	83	437
Graines de tournesol, 125 mL (½ tasse)	87	406

Repas riches en calcium — Menus pour 4 semaines

Première semaine	*mg de*	
Lundi	*calcium*	*calories*

PETIT DÉJEUNER

	mg de calcium	calories
Flocons d'avoine cuits, 250 mL		
(1 tasse), avec	53	130
Lait écrémé, 125 mL (½ tasse)	150	45
Jus de pamplemousse, 250 mL (1 tasse)	22	98

DÉJEUNER

Yogourt écrémé, nature, 250 mL (1 tasse)	300	145

DÎNER

Pétoncles à la vapeur, 100 g (3,5 oz)	115	112
Brocoli à la vapeur, 3 branches de 15 cm		
de long (5½″)	309	96
Pommes de terre au gratin, 125 mL		
(½ tasse)	66	127
Lait écrémé, 250 mL (1 tasse)	300	88
Totaux :	1 315	841

Mardi

PETIT DÉJEUNER

Muffin au maïs, 1 gros, avec 30 mL	100	260
Beurre (2 c. à table)	8	216
Jus d'orange, 250 mL (1 tasse)	27	111

DÉJEUNER

Salade :		
Épinards crus, 100 g (3,5 oz)	93	26
Fromage suisse en dés, env. 60 g (2 oz)	518	208
Haricots verts crus, 125 mL (½ tasse)	28	16
Tomate, ½	7	11
Petits pois crus, env. 60 g (¼ tasse)	9	28

DÎNER

Spaghetti, 250 mL (1 tasse), avec	16	216
Sauce tomate, 125 mL (½ tasse)	10	45
Parmesan râpé, env. 15 g (½ oz)	160	55

Première semaine	*mg de calcium*	*calories*
Chou frisé, 250 mL (1 tasse)	206	45
Gombo (okra) cuit, 250 mL (1 tasse)	146	46
Totaux :	1 328	1 283

Mercredi

PETIT DÉJEUNER

Crème de blé cuite, 250 mL (1 tasse), avec	13	130
Lait écrémé, 125 mL (½ tasse)	150	45
Jus de pomme, 250 mL (1 tasse)	15	116

DÉJEUNER

Saumon en boîte (avec arêtes molles), 85 g (3 oz), avec	372	174
Jus de citron, 15 mL (1 c. à table)	1	4
Fromage suisse, env. 30 g (1 oz)	272	95
Pain grillé italien, 2 tranches	6	110
Lait écrémé, 250 mL (1 tasse)	300	90

DÎNER

Poulet à la poêle avec légumes :		
Poitrine de poulet, 115 g (4 oz)	10	120
Brocoli, 1 branche de 15 cm (5½″)	103	32
Tofu en dés, env. 60 g (2 oz)	72	40
Céleri, 1 branche	25	9
Haricots verts, 125 mL (½ tasse)	31	16
Carotte, ½	18	21
Riz, 125 mL (½ tasse)	8	82
Sauce aux huîtres, au goût	*	*
Totaux :	1 396	1 084

* Il nous a été impossible de découvrir le contenu en calcium ou en calories de la sauce aux huîtres dans quelque volume que ce soit. Il est vrai qu'il ne s'agit pas là d'un ingrédient très courant. La teneur en calcium de cette sauce doit néanmoins être assez élevée, les huîtres en contenant beaucoup. Il est probable que le nombre de calories aille de pair avec le contenu en calcium.

Première semaine	mg de calcium	calories
Jeudi		
PETIT DÉJEUNER		
Muffin anglais, 1 (2 moitiés), avec	0	138
Cheddar fondu, env. 45 g (1½ oz)	316	168
Jus de raisin, 250 mL (1 tasse)	28	165
DÉJEUNER		
Chaudrée de palourdes (clam chowder) à la		
Nouvelle-Angleterre, 500 mL (2 tasses)	180	260
DÎNER		
Macaroni au fromage, au four, 250 mL		
(1 tasse)	407	506
Artichaut cuit, 1, avec	51	44
Beurre fondu, 30 mL (2 c. à table)	8	216
Jus de citron, 15 mL (1 c. à table)	1	4
Lait écrémé, 250 mL (1 tasse)	300	90
Totaux :	1 291	1 591
Vendredi		
PETIT DÉJEUNER		
Flocons de blé, 250 mL (1 tasse), avec	12	106
Lait écrémé, 250 mL (1 tasse)	150	45
Jus d'ananas-pamplemousse, 250 mL		
(1 tasse)	13	123
DÉJEUNER		
Sandwich au fromage, grillé :		
Fromage américain, env. 30 g ou		
1½ tranche (1 oz)	195	107
Pain entier complet, 2 tranches	44	140
DÎNER		
Huîtres au gril, 1 douzaine	188	168
Riz, 125 mL (½ tasse)	8	82
Salade :		
Épinards crus, 100 g (3,5 oz)	93	26
Brocoli cru, une branche de 15 cm		
(5½″)	103	32

Première semaine	mg de calcium	calories
Haricots jaunes crus, 125 mL (½ tasse)	28	14
Germes de luzerne, env. 30 g (1 oz)	12	10
Concombre, ½, non pelé	13	8
Fromage suisse en dés, env. 30 g (1 oz)	272	105
Lait écrémé, 250 mL (1 tasse)	300	90
Totaux :	1 431	1 056

Samedi

PETIT DÉJEUNER

Pain de maïs[1], 2 morceaux de 5 × 5 cm (2″ x 2″)	174	200
Jus de tomate, 250 mL (1 tasse)	17	45

DÉJEUNER

Sardines en boîte (avec arêtes molles), 115 g (¼ lb) avec	496	232
Pain de seigle grillé, 2 tranches	34	140
Lait écrémé, 250 mL (1 tasse)	300	90

DÎNER

Bœuf Stroganoff :		
Bœuf à ragoût, 230 g (½ lb)	15	294
Sauce Stroganoff avec 125 mL (½ tasse) de crème sure	122	454
Nouilles enrichies, 250 mL (1 tasse)	16	200
Feuilles de chou marin, cuites 250 mL (1 tasse)	304	60
Totaux :	1 478	1 715

Dimanche

PETIT DÉJEUNER

Crêpes de sarrasin, 10 cm (4″) de diamètre, 2, avec	118	120
Beurre, 30 mL (2 c. à table)	8	216
Sirop d'érable, 45 mL (3 c. à table)	62	150
Orange, 1	54	64

1. Voir page 75.

Première semaine	mg de calcium	calories
DÉJEUNER		
Salade :		
Feuilles de turnep, crues, 125 mL (½ tasse)	123	14
Céleri en dés, 250 mL (1 tasse)	47	20
Tofu en dés, env. 60 g (2 oz)	72	40
Brocoli, 1 branche de 15 cm (5½″)	103	32
Carotte, ½	18	21
Fromage Edam en dés, env. 30 g (1 oz)	225	105
DÎNER		
Côte de porc au gril, 115 g (4 oz) (la dégraisser)	9	267
Courgettes cuites, 250 mL (1 tasse)	45	25
Fèves de Lima, 125 mL (½ tasse)	26	131
Lait écrémé, 250 mL (1 tasse)	300	90
Figues sèches (dessert), 5	126	275
Totaux :	1 336	1 570

Deuxième semaine

Lundi

	mg de calcium	calories
PETIT DÉJEUNER		
Muffin au maïs, 1 petit	50	130
Orange, 1	54	64
Lait écrémé, 250 mL (1 tasse)	300	90
DÉJEUNER		
Sandwich au :		
Fromage suisse, env. 60 g (2 oz)	540	200
Laitue et 1 tranche de tomate	20	10
Pain de blé entier, 2 tranches	45	140
Pomme, 1	12	90
Noix du Brésil, 60 g (¼ tasse)	90	214
DÎNER		
Soupe végétarienne, 250 mL (1 tasse)	20	80
Poulet au four, 115 g (4 oz)	10	120

Deuxième semaine	mg de calcium	calories
Feuilles de chou marin sautées, 250 mL		
(1 tasse)	300	180
Fèves de Lima, 125 mL (½ tasse)	27	130
Petit pain de blé entier, 1	20	100
Totaux :	1 488	1 548

Mardi

PETIT DÉJEUNER

Flocons d'avoine cuits, 250 mL		
(1 tasse), avec	53	130
Lait écrémé, 60 mL (¼ tasse)	150	45
Abricots secs, env. 60 g (¼ tasse)	30	85
Cannelle, 5 mL (1 c. à thé)	—	—
Pamplemousse, 125 mL (½ tasse)	16	43

DÉJEUNER

Pizza, 1 petite tranche	150	250
Pomme, 1	12	90

DÎNER

Tomate farcie[2]	342	195
Épinards à la vapeur, 250 mL (1 tasse)	160	40
Brocoli à la vapeur, 250 mL (1 tasse)	144	40
Petit pain de blé entier, 1	20	90

GOÛTER

Lait écrémé, 250 mL (1 tasse)	300	90
Biscuits au gruau et raisins secs, 2	6	126
Totaux :	1 383	1 224

Mercredi

PETIT DÉJEUNER

Céréale filamentée de blé entier,		
1 petit pain	11	90
Lait écrémé, 250 mL (1 tasse)	300	90
Banane, ½	6	63

2. Voir page 78.

Deuxième semaine	mg de calcium	calories
DÉJEUNER		
Sandwich grillé au :		
Fromage suisse, env. 60 g (2 oz)	544	110
Pain de blé entier, 2 tranches	45	140
Tomate, 3 tranches	5	8
Salade :		
Romaine, 250 mL (1 tasse)	30	10
Tomate, 1 petite	20	33
Concombre, ¼	13	8
Germes de luzerne, 125 mL (½ tasse)	25	20
Sauce à l'italienne, 15 mL		
(1 c. à table)	2	90
DÎNER		
Darne de saumon au gril, 115 g (4 oz) à l'ail,	90	310
Huile, 15 mL (1 c. à table), pour griller	—	125
Brocoli à la vapeur, 250 mL (1 tasse)	144	40
Choux de Bruxelles, 250 mL (1 tasse)	50	45
Riz brun, 250 mL (1 tasse)	18	178
Totaux :	1 303	1 360
Jeudi		
PETIT DÉJEUNER		
Milk shake Champion[3]	250	170
DÉJEUNER		
Assiette de sardines :		
Sardines, 115 g (4 oz)	496	232
Romaine, 2-3 feuilles	15	5
Tomate, 1 petite	20	33
Bâtonnets de carottes, 125 mL (½ tasse)	25	25
Oignon, 2-3 tranches	13	15
Pain noir, 1 tranche	27	90
Huile et vinaigre, 30 mL (2 c. à table)	2	125

3. Voir page 76.

Deuxième semaine	mg de calcium	calories
DÎNER		
Légumes à la vapeur :		
Brocoli, 125 mL (½ tasse)	72	20
Chou frisé, 125 mL (½ tasse)	103	22
Feuilles de chou marin, 125 mL (½ tasse)	150	30
Carottes, 125 mL (½ tasse)	25	25
Tofu, 115 g (4 oz)	144	90
le tout sur 250 mL (1 tasse) de riz brun, recouvert de fromage Jarlsberg	18	178
fondu, env. 30 g (1 oz)	250	90
GOÛTER		
10 dattes dénoyautées	60	274
Totaux :	1 670	1 424
Vendredi		
PETIT DÉJEUNER		
Céréales aux raisins secs et aux noix, env. 30 g (1 oz)	—	100
Lait écrémé, 250 mL (1 tasse)	300	90
Fraises, 125 mL (½ tasse)	15	26
Jus d'orange, 250 mL (1 tasse)	27	112
DÉJEUNER		
Yogourt nature, écrémé, 250 mL (1 tasse)	300	145
Banane, 1	12	120
Muffin au son, 1	80	200
DÎNER		
Pain de saumon au brocoli[4], 115 g (4 oz)	334	225
Patate douce, 1 petite	46	160
Salade :		
Laitue Boston, 1 feuille	30	10
Tomate, 1 petite	20	33

4. Voir page 77.

Deuxième semaine	mg de calcium	calories
Germes de luzerne, 250 mL (1 tasse)	50	40
Carottes, 125 mL (½ tasse)	25	25
Pouding au riz brun[5], 250 mL (1 tasse)	138	173
Totaux :	1 377	1 459

Samedi

PETIT DÉJEUNER

Oeuf brouillé, 1, avec	27	82
Fromage cottage écrémé, env. 60 g (¼ tasse)	35	45
Jus de pamplemousse, 125 mL (½ tasse)	11	50
Lait écrémé, 250 mL (1 tasse)	300	90

DÉJEUNER

Chaudrée de palourdes à la Nouvelle-Angleterre, 250 mL (1 tasse)	91	130
Craquelins aux huîtres	2	33

DÎNER

Vin blanc, 1 verre	—	100
Huîtres sur écaille, 6	106	75
Darne de saumon au gril, 115 g (4 oz)	90	246
Épinards à la vapeur, 250 mL (1 tasse)	160	40
Brocoli à la vapeur, 250 mL (1 tasse)	144	40
Pomme de terre au four, 1	14	90
Yogourt et ciboulette, 30 mL (2 c. à table)	50	25
Lait glacé, 250 mL (1 tasse)	176	180
Totaux :	1 228	1 226

Dimanche

PETIT DÉJEUNER

Pains dorés[6] recouverts de	142	225
Sirop d'érable, 45 mL (3 c. à table)	62	150
Lait écrémé, 250 mL (1 tasse)	300	90

5. Voir page 74.
6. Voir page 76.

Deuxième semaine	*mg de calcium*	*calories*
DÉJEUNER		
Yogourt à la vanille, 250 mL (1 tasse)	300	200
Pomme, 1	12	90
DÎNER		
Crevettes frites aux légumes :		
Crevettes fraîches, 115 g (4 oz)	72	100
Brocoli, 1 branche de 15 cm (5½″)	103	32
Céleri, 1 branche	25	9
Chou frisé, 250 mL (1 tasse)	206	40
Haricots verts, 125 mL (½ tasse)	30	15
Riz brun, 125 mL (½ tasse)	9	90
Huile de sésame, 15 mL (1 c. à table)	—	125
Sauce soja, au goût	*	*
Totaux :	1 261	1 166

* Non disponible

Troisième semaine

Lundi

PETIT DÉJEUNER

	mg de calcium	*calories*
Pain de blé entier, 1 tranche	22	70
Fromage à la crème, env. 30 g (1 oz)	17	105
Orange, 1	54	64

DÉJEUNER

Salade de légumes :	*mg de calcium*	*calories*
Épinards, 250 mL (1 tasse)	150	40
Champignons, env. 60 g (¼ tasse)	1	5
Germes de luzerne, 125 mL (½ tasse)	25	20
Brocoli, 125 mL (½ tasse)	72	20
Oignon, env. 60 g (¼ tasse)	15	13
Tofu en dés, env. 60 g (2 oz)	73	45
Fromage suisse, env. 30 g (1 oz)	272	100

Troisième semaine	mg de calcium	calories
Pois chiches, env. 60 g (¼ tasse)	33	60
Tofunaise[7], env. 60 g (¼ tasse)	50	30
Lait écrémé, 250 mL (1 tasse)	300	90
DÎNER		
Jus de tomate, 250 mL (1 tasse)	17	46
Aiglefin au gril, 115 g (4 oz)	45	180
Haricots verts vapeur, 250 mL (1 tasse)	62	30
Pomme de terre au four avec	14	90
Sauce yogourt-ciboulette, 30 mL		
(2 c. à table)	50	25
Totaux :	1 272	1 033
Mardi		
PETIT DÉJEUNER		
Oeuf poché	27	82
Pain de blé entier, 1 tranche	22	70
Lait écrémé, 250 mL (1 tasse)	300	90
DÉJEUNER		
Chaudrée de palourdes à la Manhattan, 250 mL (1 tasse)	34	81
Sandwich à la salade de thon :		
Thon en boîte, 125 mL (½ tasse)	15	125
Mayonnaise, 30 mL (2 c. à table)	1	75
Pain de blé entier, 2 tranches	44	140
Laitue, tomate	10	10
DÎNER		
Pâtes exprès « Primavera »[8]	697	503
Laitue, 250 mL (1 tasse)	10	15
Tomate, 1 moyenne	20	33
Oignon, env. 60 g (¼ tasse)	12	20
Vinaigrette italienne, 30 mL (2 c. à table)	4	166
Totaux :	1 196	1 410

7. Voir page 80.
8. Voir page 77.

Troisième semaine	mg de calcium	calories
Mercredi		
PETIT DÉJEUNER		
Muffin au son, 1	80	200
Orange, 1	54	64
Lait écrémé, 250 mL (1 tasse)	300	90
DÉJEUNER		
Sandwich au saumon :		
Saumon en boîte, 125 mL (½ tasse)	215	155
Mayonnaise, 30 mL (2 c. à table)	1	75
Laitue, tomate	10	10
Cheddar, env. 30 g (1 oz)	204	114
Pain de seigle, 2 tranches	34	160
Pomme, 1	12	90
DÎNER		
Croustade d'épinards[9]	169	82
Spaghetti, 125 mL (½ tasse)	6	80
Sauce tomate, 125 mL (½ tasse)	8	50
Parmesan râpé, 45 mL (3 c. à table)	207	69
Salade :		
Laitue, 250 mL (1 tasse)	30	10
Tomate, 1 moyenne	20	33
Concombre, 125 mL (½ tasse)	8	13
Tofunaise,[10] env. 60 g (¼ tasse)	50	30
Totaux :	1 408	1 325
Jeudi		
PETIT DÉJEUNER		
Flocons de maïs, 250 mL (1 tasse)	2	97
Banane, ½	6	63
Lait écrémé, 250 mL (1 tasse)	300	90

9. Voir page 78.
10. Voir page 80.

Troisième semaine	*mg de calcium*	*calories*
DÉJEUNER		
Melon cantaloup, ½	24	80
Fromage cottage écrémé, 125 mL		
(½ tasse)	70	90
Craquelins de blé entier, 4	21	117
DÎNER		
Poulet au parmesan :		
Poitrine de poulet, 115 g (4 oz)	10	120
Oeuf, 1	27	80
Huile, 15 mL (1 c. à table)	—	125
Sauce tomate, 125 mL (½ tasse)	8	50
Mozzarella mi-écrémé, env. 60 g (2 oz)	414	160
Bette poirée sautée, 250 mL (1 tasse)	106	26
Huile (pour faire sauter), 15 mL		
(1 c. à table)	—	125
Spaghetti, 125 mL (½ tasse)	6	80
Sauce tomate, 125 mL (½ tasse)	8	50
Parmesan râpé, 15 mL (1 c. à table)	69	23
Lait glacé, 250 mL (1 tasse)	176	180
Totaux :	1 247	1 556

Vendredi

PETIT DÉJEUNER

Oeuf poché	27	82
Pain de blé entier, 1 tranche	22	70
Lait écrémé, 250 mL (1 tasse)	300	90

DÉJEUNER

Pain Pita :		
Petit pain pita, 1	40	140
Saumon en boîte, 125 mL (½ tasse)	215	155
Fromage râpé, env. 30 g (1 oz)	207	100

Troisième semaine	*mg de calcium*	*calories*
Épinards, 125 mL (½ tasse)	80	20
Germes de luzerne, 125 mL (½ tasse)	25	20
Carottes râpées, 125 mL (½ tasse)	25	25
Tofunaise[11], env. 60 g (¼ tasse)	50	30
Orange, 1	54	64
DÎNER		
Ragoût d'huîtres, 250 mL (1 tasse)	158	120
Pétoncles au gril, 115 g (4 oz)	30	100
Gombo, 250 mL (1 tasse)	146	46
Pomme de terre au four, 1	14	90
Parmesan, 45 mL (3 c. à table)	207	69
Totaux :	1 600	1 221
Samedi		
PETIT DÉJEUNER		
Crêpes de sarrasin, 2, avec	198	180
Sirop d'érable, 45 mL (3 c. à table)	62	150
Pamplemousse, ½	16	41
Lait écrémé, 250 mL (1 tasse)	300	90
DÉJEUNER		
Pomme, 1	12	90
Fromage Jarslberg, env. 60 g (2 oz)	500	180
Gâteaux de riz, 2	—	75
DÎNER		
Espadon au gril, 115 g (4 oz)	22	150
Haricots verts, 250 mL (1 tasse)	62	30
Brocoli, 250 mL (1 tasse)	144	40
Pommes de terre gratinées avec 250 mL (1 tasse) de fromage	311	355
Totaux :	1 627	1 381

11. Voir page 80.

Troisième semaine	*mg de calcium*	*calories*
Dimanche		
PETIT DÉJEUNER		
Omelette :		
Oeuf, 1	27	82
Blanc d'œuf, 1	3	17
Fromage suisse, env. 30 g (1 oz)	272	95
Épinards, 125 mL (½ tasse)	80	20
Petit pain de blé entier, 1	22	90
Lait écrémé, 250 mL (1 tasse)	300	90
DÉJEUNER		
Salade de fruits, 250 mL (1 tasse)	50	64
Yogourt écrémé, 250 mL (1 tasse)	300	145
DÎNER		
Soupe de tomates, 250 mL (1 tasse)	67	69
Spaghetti, 250 mL (1 tasse)	12	180
Sauce tomate, 125 mL (½ tasse)	8	50
Brocoli à la vapeur, 250 mL (1 tasse)	144	40
Courgette à la vapeur, 250 mL (1 tasse)	45	25
Parmesan râpé, 45 mL (3 c. à table)	207	69
Totaux :	1 537	1 036
Quatrième semaine		
Lundi		
PETIT DÉJEUNER		
Yogourt écrémé, 250 mL (1 tasse), avec	300	145
Banane, ½	6	63
Céréales complètes (granola), env. 60 g		
(¼ tasse)	5	98
DÉJEUNER		
Hamburger au gril, 115 g (4 oz)		
de viande avec	14	304
Fromage, env. 30 g (1 oz)	195	103

Quatrième semaine	mg de calcium	calories
Laitue romaine, 250 mL (1 tasse)	15	10
Tomate, 1	20	33
Chou, 125 mL (½ tasse)	17	10
Huile et vinaigre, 15 mL (1 c. à table)	—	60
Petit pain enrichi, 1	30	120
Lait écrémé, 250 mL (1 tasse)	300	90
DÎNER		
Pain au fromage et aux noix[12], 1 tranche	116	230
Feuilles de chou marin à la vapeur,		
250 mL (1 tasse), garnies de	300	60
Graines de sésame, 15 mL (1 c. à table)	13	72
Pain complet, 1 tranche	20	80
Sauce aux pommes, 125 mL (½ tasse)	5	50
Totaux :	1 356	1 528

Mardi

PETIT DÉJEUNER

	mg de calcium	calories
Céréale filamentée de blé entier, 1 pain	37	90
Lait écrémé, 125 mL (½ tasse)	150	45
Raisins secs, env. 60 g (¼ tasse)	25	120
Jus d'orange, 125 mL (½ tasse)	14	66
DÉJEUNER		
Soupe à l'oignon à la française, avec fromage, 1 bol	218	162
Salade :		
Romaine, 250 mL (1 tasse)	15	10
Courgettes, 125 mL (½ tasse)	18	13
Cresson, 125 mL (½ tasse)	35	25
Vinaigrette :		
Vinaigre, 30 mL (2 c. à table)	2	4
Jus de citron, 30 mL (2 c. à table)	—	10
Parmesan râpé, 15 mL (1 c. à table)	69	23

12. Voir page 81.

Quatrième semaine	mg de calcium	calories
DÎNER		
Tomate farcie au saumon[13]	504	332
Choux de Bruxelles à la vapeur, 250 mL (1 tasse)	50	45
Petit pain de blé entier, 1	37	90
Totaux :	1 174	1 035
Mercredi		
PETIT DÉJEUNER		
Pain de maïs[14], 1 morceau de 5 × 5 cm (2″ × 2″)	87	101
Fromage cottage écrémé, 125 mL (½ tasse)	69	90
Pamplemousse, ½	16	45
DÉJEUNER		
Salade de sardines[15]	510	246
Pain de blé entier, 1 tranche	22	70
Moutarde, au goût	—	—
Laitue	5	5
Tomate	10	10
Lait écrémé, 250 mL (1 tasse)	300	90
Pomme, 1	12	90
DÎNER		
Soupe de tomates avec lait, 250 mL (1 tasse)	67	72
Riz brun, 125 mL (½ tasse)	9	90
Fèves de soja, 125 mL (½ tasse)	65	117
Chou cuit, 250 mL (1 tasse)	64	29
Chou frisé, 250 mL (1 tasse) sauté à l'huile, 15 mL (1 c. à table)	206	43

13. Voir page 79.
14. Voir page 75.
15. Voir page 77.

Quatrième semaine	*mg de calcium*	*calories*
Cheddar râpé, saupoudré 30 mL (2 c. à table)	204	114
Totaux :	1 646	1 212
Jeudi		
PETIT DÉJEUNER		
Milk shake Champion[16]	250	170
Muffin au son, 1 petit	80	200
DÉJEUNER		
Salade d'épinards :		
Épinards crus, 500 mL (2 tasses)	320	80
Champignons crus, 125 mL (½ tasse)	2	10
Oeuf cuit dur, 1	27	82
Fromage suisse, env. 30 g (1 oz)	272	95
Tomate, 1	10	33
Germes de luzerne, 125 mL (½ tasse)	25	23
Sauce diététique au roquefort (fromage « bleu »), 30 mL (2 c. à table)	20	30
Pain de blé entier, 1 tranche	22	80
DÎNER		
Veau au parmesan[17]	223	468
Spaghetti, 125 mL (½ tasse)	6	90
Sauce tomate, 125 mL (½ tasse)	8	50
Parmesan râpé, 15 mL (1 c. à table)	69	23
Chou frisé à la vapeur, 250 mL (1 tasse)	206	43
Pain italien, 1 tranche	9	60
Totaux :	1 549	1 537
Vendredi		
PETIT DÉJEUNER		
Crème de blé, 250 mL (1 tasse)	17	110
Lait écrémé, 250 mL (1 tasse)	300	90

16. Voir page 76.
17. Voir page 81.

Quatrième semaine	*mg de calcium*	*calories*
Dattes, 5	30	137
Orange, 1	54	64
DÉJEUNER		
Salade au poulet, 125 mL (½ tasse)	20	280
Pain de seigle, 2 tranches	34	140
Laitue (garniture)	10	10
Germes de luzerne (garniture)	10	10
DÎNER		
Huîtres, 1 douzaine	212	150
Aiglefin au gril, 115 g (4 oz), cuit avec		
Citron et	45	100
Huile, 15 mL (1 c. à table)	—	125
Pomme de terre cuite avec	14	90
Parmesan, 30 mL (2 c. à table)	140	46
Haricots verts à la vapeur, 250 mL		
(1 tasse)	62	30
GOÛTER		
Pomme, 1	12	90
Lait écrémé, 250 mL (1 tasse)	300	90
Totaux :	1 210	1 562
Samedi		
PETIT DÉJEUNER		
Gaufre, 1, 15 cm (5½″) de diamètre	85	209
Yogourt écrémé, 125 mL (½ tasse)	150	72
Banane, ½	6	63
Sirop d'érable, 15 mL (1 c. à table)	33	50
Jus d'orange, 125 mL (½ tasse)	14	56
DÉJEUNER		
Lait écrémé, 250 mL (1 tasse)	300	90
Trempette diététique au fromage cottage[18],		
env. 60 g (2 oz) avec	48	45
Brocoli cru, 250 mL (1 tasse)	144	40

18. Voir page 75.

Quatrième semaine	*mg de calcium*	*calories*
Chou-fleur cru, 125 mL (½ tasse)	13	15
Courgette crue, 250 mL (1 tasse)	36	25
Gâteaux de riz, 2	—	75
DÎNER		
Chaudrée de palourdes à la Nouvelle-Angleterre, 250 mL (1 tasse)	91	130
Saumon poché, 115 g (4 oz)	90	246
Bettes poirées sautées, 250 mL (1 tasse)	106	26
Carottes sautées, 250 mL (1 tasse)	51	48
Huile, 15 mL (1 c. à table)	—	125
Pain de blé entier, 1 tranche	22	70
Fraises, 250 mL (1 tasse)	32	56
Totaux :	1 221	1 441

Dimanche

PETIT DÉJEUNER

Omelette au fromage et aux asperges (faite dans une poêle en Teflon)		
Oeufs, 2	54	164
Cheddar, env. 30 g (1 oz)	211	112
Pointes d'asperges coupées, 4	21	20
Pumpernickel, 2 tranches	54	160
Fromage à la crème, env. 30 g (1 oz)	17	105

DÉJEUNER

Soupe au miso[19]	223	80
Gâteaux de riz, 2	—	75

DÎNER

Brocoli frit au poulet :		
Poulet en dés, 115 g (4 oz)	10	120
Brocoli, 3 branches de 15 cm (5½″)	309	66
Huile de sésame, 30 mL (2 c. à table)	—	125
Huile de soja, 30 mL (2 c. à table)	30	24

19. Voir page 76.

Quatrième semaine	*mg de calcium*	*calories*
Riz brun, 125 mL (½ tasse)	9	90
Orange, 1	54	64
GOÛTER		
Lait écrémé, 250 mL (1 tasse)	300	90
Biscuits de son aux raisins secs, 2	10	130
Totaux :	1 302	1 425

Recettes à haute teneur en calcium

POUDING AU RIZ BRUN

	mg de calcium	*calories*
Riz brun cuit, 500 mL (2 tasses)	36	360
Lait écrémé, 250 mL (1 tasse)	300	90
Oeuf entier, 1	27	82
Blanc d'œuf, 1	3	17
Vanille, 5 mL (1 c. à thé)	—	—
Raisins secs, 125 mL (½ tasse)	50	232
Mélasse brute, 45 mL (3 c. à table)	311	130
Miel, 15 mL (1 c. à table)	1	64
Noix hachées, env. 60 g (¼ tasse)	25	162
Zeste de citron râpé, 15 mL (1 c. à table)	1	—
Yogourt écrémé, 250 mL (1 tasse)	300	145
Cannelle, 5 mL (1 c. à thé)	28	6
Quatre-épices, 2,5 mL (½ c. à thé)	6	3
Soupçon de noix de muscade	—	—
Pomme hachée, 250 mL (1 tasse)	12	90
Huit portions	1 100	1 381
Une portion	138	173

Mélanger les œufs, le lait, le miel, la mélasse et la vanille au mélangeur (blender). Verser dans un grand bol. Incorporer le riz, puis les autres ingrédients à l'exception du yogourt. Bien mélanger. Verser dans un moule de 20 cm (8″) préalablement huilé. Cuire au four à 120°C (250°F) pendant 25 minutes. Mélanger toutes les 10 minutes pendant la cuisson. Faire refroidir pendant 15 minutes et incorporer le yogourt. Ajouter plus de cannelle ou de quatre-épices, au goût. Servir froid ou chaud.

PAIN DE MAÏS

	mg de calcium	calories
Farine de maïs, 250 mL (1 tasse)	20	427
Farine de blé entier, 250 mL (1 tasse)	41	333
Poudre à pâte, 30 mL (2 c. à table)	—	—
Oeuf, 1	27	82
Mélasse, env. 60 mL (¼ tasse)	411	130
Huile de maïs, 45 mL (3 c. à table)	—	375
Lait écrémé, 750 mL (3 tasses)	300	90
Totaux	799	1 437
Un morceau de 5 × 5 cm	87	100

Incorporer les ingrédients secs, puis les liquides. Bien mélanger le tout (la consistance sera très lisse). Verser dans des moules graissés de 22 cm (9″ × 9″) ; cuire au four à 175°C (350°F) pendant 50 minutes.

TREMPETTE AU FROMAGE COTTAGE

	mg de calcium	calories
Fromage cottage écrémé, 250 mL (1 tasse)	138	165
Yogourt écrémé, env. 60 mL	75	37
Jus de citron, 30 mL (2 c. à table)	2	8
Ciboulette, 2,5 mL (½ c. à thé)	—	—
Graines d'aneth, 2,5 mL (½ c. à thé)	16	3
Moutarde de Dijon, 2,5 mL (½ c. à thé)	—	8
Basilic, 1,25 mL (¼ c. à thé)	8	2
Totaux	239	223
Une portion d'environ 60 g	48	45

MILK SHAKE CHAMPION

	mg de calcium	calories
Lait écrémé, 125 mL (½ tasse)	150	45
Yogourt écrémé, env. 60 mL (¼ tasse)	75	36
Banane, ½	6	60
Fraises, 125 mL (½ tasse)	19	25
Vanille, 5 mL (1 c. à thé)	—	—
Son, 5 mL (1 c. à thé)	—	4
Glaçons	—	—
Une portion	250	170

Bien mélanger le tout au mélangeur.

PAINS DORÉS

	mg de calcium	calories
Oeuf, 1 petit	22	65
Lait écrémé, env. 60 mL (¼ tasse)	75	20
Vanille, 1,25 mL (¼ c. à thé)	—	—
Pain de blé entier, 2 tranches	45	140
Cannelle	—	—
Totaux	142	225

Battre les œufs et le lait ; ajouter la vanille. Tremper le pain dans le mélange. Cuire dans une poêle en Teflon jusqu'à ce que la rôtie soit brune d'un côté ; retourner et faire brunir sur l'autre côté. Saupoudrer de cannelle.

SOUPE AU MISO

	mg de calcium	calories
Eau, 375 mL (1½ tasse)	—	—
Pâte de miso, 5 mL (1 c. à table)	14	25
Tofu en dés, env. 60 g (2 oz)	73	45
Algue Wakame, env. 30 g (1 oz)	130	20
Totaux	217	90

Faire tremper les algues dans l'eau et égoutter pendant cinq minutes. Faire bouillir l'eau, ajouter la pâte de miso, le tofu et les algues. Réchauffer et servir.

PÂTES EXPRÈS « PRIMAVERA »

	mg de calcium	calories
Pâtes, env. 60 g (2 oz)	10	210
Chou frisé, 250 mL (1 tasse)	206	43
Brocoli, 250 mL (1 tasse)	144	40
Sauce tomate, 250 mL (1 tasse)	17	100
Parmesan râpé, env. 30 g (1 oz)	320	110
Deux portions	697	503

Faire cuire les pâtes. Cuire les légumes à la vapeur et les mélanger aux pâtes. Recouvrir de sauce tomate et de parmesan. Deux portions.

PAIN DE SAUMON AU BROCOLI

	mg de calcium	calories
Saumon en boîte, 500 mL (2 tasses)	862	620
Chapelure de blé entier, 125 mL (½ tasse)	22	70
Brocoli haché, 500 mL (2 tasses)	288	80
Oeuf battu entier, 1	27	82
Poivre	—	—
Jus de citron, 30 mL (2 c. à table)	—	—
Parmesan, 30 mL (2 c. à table)	138	46
Quatre portions	1 337	898
Une portion	334	225

Égoutter et émietter le saumon ; placer dans un grand bol et mélanger les autres ingrédients à l'exception du fromage. Graisser un moule à pain de 22 × 12 × 8 cm (9″ × 5″ × 3″) environ. Verser le mélange dans le moule et recouvrir de fromage. Cuire à 175°C (350°F) pendant 30 minutes.

SALADE DE SARDINES

	mg de calcium	calories
Sardines, 115 g (4 oz)		
les piler avec	496	232
Oignon haché, 5 mL (1 c. à thé)	8	7
Moutarde de Dijon, 2,5 mL (½ c. à thé)	—	—

	mg de calcium	calories
Jus de citron, 15 mL (1 c. à table)	1	5
Poivre, 1,25 mL (¼ de c. à thé)	5	2
Une portion	510	246

CROUSTADE D'ÉPINARDS

	mg de calcium	calories
Épinards frais, 450 g (1 lb)	422	100
Fromage cottage écrémé, 250 mL (1 tasse)	138	165
Yogourt écrémé, 125 mL (½ tasse)	150	75
Cheddar écrémé râpé, env. 60 g (2 oz)	422	160
Blancs d'œufs battus, 2	6	34
Vin blanc, env. 30 mL (2 c. à table)	—	13
Germes de blé, 15 mL (1 c. à table)	—	13
Moutarde de Dijon, 5 mL (1 c. à thé)	—	—
Poivre noir, 2,5 mL (½ c. à thé)	9	5
Parmesan râpé, 45 mL (3 c. à table)	207	69
Paprika	—	—
Huit portions	1 354	634
Une portion	169	79

Déchiqueter les épinards en petits morceaux. Mélanger le yogourt, le fromage et le vin. Incorporer les épinards. Ajouter le poivre et la moutarde. Placer dans un moule de 20 cm (8″). Recouvrir de germes de blé, de fromage râpé et de paprika. Cuire au four à 175°C (350°F) pendant 30 minutes. Huit portions.

TOMATES FARCIES

	mg de calcium	calories
Tomates, 4	80	120
Ricotta mi-écrémé, 125 mL (½ tasse)	335	170
Mozzarella mi-écrémé, env. 60 g (2 oz)	417	160
Parmesan, env. 30g (1 oz)	320	110
Tofu, 115 g (4 oz)	144	90
Riz brun, 125 mL (½ tasse)	9	90
Jus de citron, 30 mL (2 c. à table)	—	10

	mg de calcium	calories
Jus de tomate ou jus V-8, env. 60 mL (¼ tasse)	8	20
Poivre, 1,25 mL (¼ c. à thé)	—	—
Origan, 5 mL (1 c. à thé)	30	4
Basilic, 5 mL (1 c. à thé)	24	5
Quatre portions	1 367	779
Une portion	342	195

Couper le haut des tomates et les évider ; mettre la pulpe dans un mélangeur et y ajouter le ricotta, le mozzarella, le tofu, le jus de citron et les épices. Ne pas réduire en purée. Placer le mélange dans un bol, ajouter le riz et la moitié du parmesan. Verser les 60 mL de jus de tomate ou de V-8 dans le fond du plat. Farcir les tomates avec le mélange. Parsemer de basilic, de jus de citron et du reste de parmesan. Cuire au four à 175°C (350°F). Quatre portions.

TOMATES FARCIES AU SAUMON

	mg de calcium	calories
Tomates, 2	40	60
Saumon en boîte, 250 mL (1 tasse)	431	310
Riz brun, 125 mL (½ tasse)	9	90
Persil, 30 mL (2 c. à table)	30	5
Yogourt, 125 mL (½ tasse)	150	75
Fromage écrémé râpé, env. 30 g (1 oz)	207	80
Parmesan, 30 mL (2 c. à table)	138	46
Ail haché fin, 15 mL (1 c. à table)	—	—
Paprika	4	12
Jus de tomate ou V-8, 60 mL (¼ tasse)	8	20
Deux portions	1 017	698
Une portion	508	349

Couper le haut des tomates et les évider. Placer la pulpe dans un grand bol ; y ajouter le saumon émietté, le yogourt, le persil, l'ail et le fromage ; incorporer finalement le riz et farcir les tomates avec ce mélange. Verser le jus de tomate ou le V-8 au fond du plat et y poser les tomates farcies. Saupoudrer chacune d'entre elles d'une c. à soupe de parmesan et de paprika. Cuire au four à 175°C (350°F) pendant 30 minutes. Deux portions.

SALADE AU FROMAGE ET AU TOFU

	mg de calcium	calories
Fromage Jarlsberg, env. 60 g (2 oz)	544	180
Autre fromage écrémé (au choix), env. 60 g (2 oz)	420	180
Tofu, 115 g (4 oz)	150	90
Concombre, 1	26	16
Tomate, 1	20	33
Carotte, 1	37	48
Paprika	—	—
Parmesan râpé, 15 mL (1 c. à table)	69	25
Sauce		
Jus d'un citron	—	10
Jus d'une limette	—	10
Yogourt écrémé, 125 mL (½ tasse)	150	75
Moutarde de Dijon, 2,5 mL (½ c. à thé)	—	—
Estragon, 2,5 mL (½ c. à thé)	—	—
Marjolaine, 2,5 mL (½ c. à thé)	—	—
Total pour une portion d'une tasse	466	216

Tailler le fromage et le tofu en dés. Hacher les légumes et les mélanger avec le tofu. Dans un autre saladier ou dans le mélangeur, mêler les ingrédients de la sauce jusqu'à consistance lisse. La verser sur la salade. Saupoudrer de paprika et d'une cuiller à soupe de parmesan. Faire refroidir.

TOFUNAISE

	mg de calcium	calories
Tofu, 100 g (3½ oz)	128	80
Yogourt écrémé, 125 mL (½ tasse)	150	75
Carotte râpée, ½	18	25
Moutarde de Dijon, 2,5 mL (½ c. à thé)	—	—
Aneth, 2,5 mL (½ c. à thé)	—	—
Jus d'un demi-citron	—	10
Une portion d'environ 60 g	50	30

Mélanger tous les ingrédients au mélangeur à basse vitesse pendant 10 à 15 secondes.

VEAU AU PARMESAN

	mg de calcium	calories
Côtelettes de veau, 115 g (4 oz)	10	180
Huile, 15 mL (1 c. à table)	—	125
Germes de blé, 15 mL (1 c. à table)	—	33
Sauce tomate, 125 mL (½ tasse)	6	50
Mozzarella mi-écrémé, tranché, env. 30 g (1 oz)	207	80
Totaux	223	468

Faire sauter les côtelettes dans l'huile jusqu'à ce qu'elles soient dorées. Placer dans un plat et recouvrir avec la sauce et le fromage. Cuire à 175°C (350°F) pendant 30 minutes.

PAIN AU FROMAGE ET AUX NOIX

	mg de calcium	calories
Riz brun, 250 mL (1 tasse)	18	178
Noix moulues, 250 mL (1 tasse)	100	650
Cheddar râpé, 250 mL (1 tasse)	422	224
Jus de citron, 30 mL (2 c. à table)	—	10
Oeufs battus, 2	54	164
Carotte râpée, 1	51	48
Céleri haché, 1 branche	25	9
Pomme hachée, 1	12	90
Graines de carvi	14	7
Six portions	696	1 380
Une portion	116	230

Combiner tous les ingrédients. Bien mélanger. Placer dans un moule graissé. Cuire au four à 175°C (350°F) pendant 30 minutes. Six portions.

Moyens magiques d'enrichir votre régime en calcium

1. Lorsque vous vous préparez du chocolat chaud édulcoré (contenant un substitut de sucre), remplacez l'eau par du lait écrémé.

2. Saupoudrez votre lait écrémé de cannelle pour lui donner du goût.

3. Faites un milk shake avec du lait écrémé, du yogourt et des fruits frais.

4. Au petit déjeuner, prenez des céréales arrosées de lait.

5. Sur tartines et rôties, remplacez le beurre ou la margarine par du fromage cottage, du fromage blanc ou du ricotta.

6. Faites fondre du fromage sur craquelins, petits pains ou muffins anglais.

7. Prenez du yogourt en guise de goûter.

8. Consommez des fruits frais avec du yogourt sucré à la mélasse brute.

9. Recouvrez de graines de sésame légumes, salades et préparations au riz.

10. Saupoudrez de parmesan légumes et salades (particulièrement savoureux sur les pommes de terre au four).

11. Ajoutez une tranche de fromage aux sandwiches.

12. Mettez davantage de lait dans votre café ou votre thé.

13. Préparez des sauces à salade avec du yogourt, du tofu ou du fromage cottage.

14. Ajoutez des dés de tofu ou de fromage aux salades.

15. Prenez soin d'inclure un légume feuillu sombre (des épinards, par exemple) dans l'un de vos repas quotidiens.

16. Avec un dessert sucré, utilisez du lait glacé, du yogourt glacé, du pouding (genre crème anglaise).

17. Pour varier, parfumez le lait écrémé à l'extrait de vanille ou d'amande.

Chapitre V

Exercices commandant le travail de l'ossature

Le deuxième élément essentiel pour obtenir une masse osseuse optimale consiste à faire régulièrement des exercices forçant l'ossature à travailler. Les astronautes en apesanteur font beaucoup d'exercice mais enregistrent néanmoins une perte de leur matière osseuse. Tout programme d'exercice destiné à prévenir l'ostéoporose comprend un genre de gymnastique dans laquelle l'ossature doit supporter une charge et la déplacer.

La preuve de l'efficacité de ces exercices est encore mince et d'autres études devront être entreprises sur le sujet. Les résultats obtenus portent à croire que les exercices contribuent à faire augmenter la masse osseuse. Ainsi, on peut constater que les athlètes ont des os plus denses que les personnes qui ne pratiquent pas de sport de manière aussi suivie. Une étude sur les pensionnaires d'une maison de retraite a démontré que ceux qui pratiquaient un exercice parvenaient à augmenter cette masse, alors que ceux qui n'en faisaient pas la diminuaient. Certains spécialistes estiment que ces données sont loin d'être convaincantes ; les résultats obtenus dans la maison pour personnes âgées dont il est question devront être corroborés par des études menées dans des conditions semblables. Toutefois, la plupart des médecins sont d'accord sur le fait que l'exercice physique contribue *probablement* à l'élaboration de la masse osseuse. Des études entreprises dans le passé ont prouvé de manière concluante que l'inactivité et l'immobilité menaient rapidement à sa dégradation. C'est pourquoi, même si l'exercice n'avait rien à voir avec elle, il serait prudent de se garantir tout de même contre sa raréfaction. On a également fait valoir que l'exercice permettait à l'organisme d'absorber plus efficacement le calcium.

À condition qu'il n'y ait pas d'excès, tout genre d'exercice permettant d'exercer un effort sur les os en leur faisant supporter une charge contribue à protéger la masse osseuse et à éviter de faire de l'ostéoporose. Si vous êtes de ces personnes que la gymnastique suédoise et les appareils rebutent, rien ne vous empêche d'aller travailler tous les jours à bicyclette ou encore d'aller danser quatre fois par semaine. Ne vous inquiétez pas : de tels exercices suffiront sans aucun doute à faire travailler suffisamment vos os. À propos de la danse, si votre conception d'une soirée réussie comprend la consommation obligatoire de trois ou quatre verres d'une boisson alcoolique, vous perdrez sur le champ tout le bénéfice à retirer de cet exercice.

Faire de la bicyclette, de légers poids et haltères, de la danse rythmique, du saut à la corde et de la gymnastique suédoise constituent d'excellents exercices. La natation est moins recommandée, car la plus grande partie de votre masse corporelle se trouve portée par l'eau et les os n'ont donc pas de charge à supporter. Certains sports comme le jogging — en soi un excellent exercice — présentent des risques. En effet, les os encaissent des chocs répétés, ce qui est loin d'être idéal pour les candidats à l'ostéoporose.

Genres d'exercices comprenant des déplacements de poids	
• Danse rythmique ou « aérobique »	• Saut à la corde
• Bicyclette	• Cyclo-rameur, appareil exerciseur de type « Nautilus » et « Universal »
• Gymnastique	• Canotage
• Poids et haltères	• Escalade
• Jogging	• Marche

Faites-vous trop d'exercice ?

Comment doser ? Il n'existe pas de limite, du moins en théorie. Trois séances de vingt minutes par semaine devraient suffire à vous maintenir en forme. Vous devez cependant surveiller un élément qui vous indiquera que vous exagérez : tout changement radical dans votre cycle menstruel. De nombreuses athlètes éprouvent des problèmes menstruels associés à la perte de tissus adipeux ; plusieurs études indiquent que les femmes qui souffrent d'aménorrhée (absence de règles) et qui continuent à s'entraîner subissent une déperdition d'éléments minéraux osseux — y compris le calcium. Toute femme qui pratique régulièrement un exercice et qui découvre que ses règles sont irrégulières ou disparaissent devrait temporairement y mettre terme et consulter son médecin. Cette irrégularité menstruelle mise à part, il ne faudrait surtout pas qu'elle se prive d'exercice, de cet excellent moyen de protéger l'intégrité de ses os. Avant d'entreprendre tout programme, il vous faudra, bien sûr, consulter votre médecin.

Exercices pour renforcer les os

Certaines régions bien définies du corps sont particulièrement susceptibles de subir des fractures. Il y a d'abord l'épine dorsale, où l'on constate l'écrasement de certaines vertèbres (ce qui occasionne la fameuse « bosse de douairière ») ; on trouve ensuite le poignet — un autre « point chaud » — et la hanche (ou le bassin), lieu des fractures ostéoporotiques les plus sérieuses puisqu'elles occasionnent de 15 à 30 pour 100 de décès. Des exercices bien dosés renforcent les muscles qui soutiennent ces os, ainsi que les os eux-mêmes.

Si vous êtes du type sédentaire, commencez graduellement, car il y a toujours moyen d'augmenter la quantité d'exercices. Souvenez-vous qu'il s'agit là d'une activité que vous devrez en fait poursuivre le restant de vos jours et non d'une simple flambée de bonne volonté d'une durée de quelques semaines. Réchauffez-vous avant de faire de l'exercice et donnez-vous le temps de vous refroidir après. Utilisez des molletières.

Les exercices qui suivent n'ont pas la prétention de constituer ce qu'il est convenu d'appeler un programme complet de mise en forme, mais ils concernent principalement les parties du corps où les fractures ostéoporotiques surviennent le plus souvent. Les exercices proposés ici étant relativement énergiques, vous ne devriez les faire que si votre santé vous le permet ; ils ne *sont pas* destinés aux personnes qui souffrent déjà d'ostéoporose et qui estiment que leurs os sont fragiles. Cela ne signifie pas toutefois que les femmes dont la santé n'est pas florissante se trouvent exclues de toute activité ; elles devraient simplement se livrer à des activités sportives plus calmes comme celles qui sont recommandées au chapitre VIII.

« *LES CLOISONS MOBILES* »

Exercice de flexion et d'extension faisant travailler les bras et les poignets

1. Bras étendus à l'horizontale sur les côtés, épaules droites, mains pliées et formant autant que possible un angle droit avec les avant-bras **(fig. A)**.

2. Commencez à faire de la marche sur place en vous hissant aussi haut que possible sur les orteils et en vous laissant redescendre complètement sur les talons **(fig. B et C)**.

3. Tout en suivant la cadence imprimée par les pieds (il est souhaitable d'exécuter ces exercices en musique), ramenez les mains toujours pliées aux poignets vers les épaules **(fig. D)**, puis étendez les bras vers l'extérieur comme si vous désiriez repousser des cloisons mobiles imaginaires qui chercheraient à vous écraser **(fig. E)**. Exécutez ces mouvements 8 fois.

A

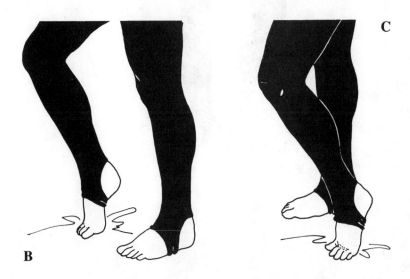

C

B

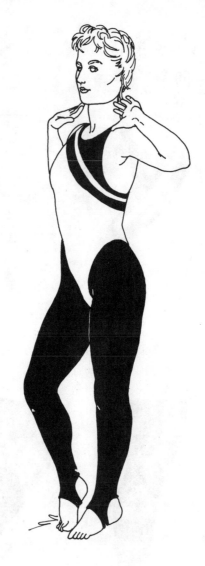

D

E

F

4. Ramenez ensuite les bras vers les épaules **(fig. F)** et, paumes vers le haut, étendez au maximum les bras à la verticale **(fig. G)**. Exécutez 8 fois ces mouvements.

G

H

5. Ramenez maintenant les bras vers le bas, paumes dirigées vers le plancher **(fig. H),** puis élevez-les de façon que les paumes des mains se trouvent à la hauteur des aisselles **(fig. I).** Exécutez 8 fois ces mouvements.

Répétez 4 fois l'ensemble de l'exercice, puis reprenez les séries en exécutant 2 fois chaque mouvement. Finissez le tout en exécutant 8 fois la flexion des poignets, une fois sur les côtés, une fois vers le haut, une fois vers le bas. Pour mieux faire circuler le sang, n'oubliez pas de faire travailler les pieds.

I

A

« *LES CERCLES MAGIQUES* »

Pour renforcer bras et poignets

1. Bras étendus à l'horizontale, sur les côtés, paumes vers le bas, poignets cassés. Tracez rapidement de petits cercles imaginaires du bout des doigts tout en continuant le mouvement de pieds décrit précédemment **(fig. A, B, C).** Exécutez 6 rotations de ce genre 16 fois vers l'avant, puis 16 fois vers l'arrière. Gardez les bras en extension et les pieds en mouvement pendant que vous tracez ces cercles: 8 fois en avant, 8 fois en arrière, puis 4 fois dans les deux sens ; enfin, 2 fois pour terminer. Si vous trouvez cet exercice trop énergique, commencez par l'exécuter 8 fois en vous ajustant à la baisse, au besoin.

B

C

2. Maintenant, décontractez les muscles des épaules et des bras en exécutant quelques rotations amples dans chaque sens. Vous pouvez adopter un rythme plus lent.

A

EXERCICES D'ÉTIREMENT

Pour le dos

1. Debout, pieds parallèles, jambes écartées, à la largeur du bassin.

2. Fléchissez les genoux et penchez-vous vers l'avant en pliant le corps à la hauteur du bas de la taille de telle manière que le dos soit aussi parallèle que possible au plancher.

3. Bras à l'horizontale, sur les côtés, parallèles au plancher **(fig. A)**.

B

4. Effectuez une double flexion des genoux et remontez en conservant le dos et les bras à l'horizontale, parallèles au plancher **(fig. B).**

C

5. Laissez retomber les bras 2 fois en les faisant passer entre les jambes et en essayant de plier au maximum le bas de la taille. Évitez de faire le dos rond pour parvenir à toucher le sol derrière les chevilles **(fig. C et D).**

6. Redressez le dos, étendez les bras et répétez le premier mouvement (flexion) 2 fois, puis tentez de toucher une fois de plus le sol entre les jambes.

Pour commencer, exécutez ces mouvements autant de fois que vous le pouvez — 8 fois, par exemple. Même si les hanches doivent vous faire mal pendant quelque temps, persévérez. N'exagérez pas toutefois. Si vous conservez le dos bien droit, il ne devrait pas vous occasionner de douleurs.

D

A

ÉTIREMENT LATÉRAL

Pour le dos, les jambes et les bras

1. Jambes un peu plus écartées que dans l'exercice d'étirement précédent ; dos droit ; bras écartés.

2. Tout en conservant le dos et les bras immobiles, redressez le genou gauche en transférant tout votre poids sur la droite **(fig. A).**

B

3. Effectuez une double flexion du genou droit, redressez-le, transférez votre poids ; passez au genou gauche **(fig. B)** ; effectuez une double flexion de ce côté-là.

Effectuez l'ensemble de l'exercice 8 fois ou plus. Si votre dos est fragile, il vous faudra un peu plus de temps pour exécuter correctement les exercices n° 3 et n° 4. Prenez soin de garder le dos aussi droit que possible. Si les douleurs lombaires vous guettent, ces exercices amélioreront la situation.

A

EXTENSION DES JAMBES

Pour le dos, les hanches, le fessier, les abdominaux et les jambes

1. À genoux, bras tendus, écartés à la largeur des épaules, mains sur le plancher, jambes écartées à la largeur du bassin, dos droit (ni creusé ni voûté).

2. Ramenez maintenant le genou droit vers la poitrine **(fig. A)**, puis allongez-le vers l'arrière **(fig. B).** Ne le levez pas au-delà du seuil de douleur supportable. Ne levez pas la tête et ne vous tenez pas le dos voûté lors de l'allongement de la jambe.

Exécutez 8 fois l'ensemble de l'exercice, puis recommencez les séries du côté gauche. Exécutez l'ensemble des mouvements encore 8 fois, si vous vous en sentez capable.

B

A

B

ÉLÉVATIONS ET RUADES LATÉRALES

Pour les hanches, le fessier et les jambes

1. À genoux, appui sur les mains, bras tendus **(fig. A)**, tenez le genou droit latéralement à la hauteur de l'épaule ; la jambe demeure pliée **(fig. B).** Revenez à la position de départ. Reprenez ce mouvement 8 fois en essayant de ne pas vous pencher du côté de la hanche gauche pendant que vous levez la jambe droite.

2. Reprenez une fois de plus les séries de mouvements du côté gauche en essayant de ne pas vous pencher du côté opposé lors de l'élévation de la jambe. Pensez constamment à votre dos, qui doit demeurer rectiligne et non voûté.

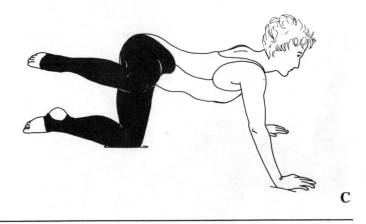

C

D

3. Si vous vous sentez particulièrement en forme, maintenez la jambe droite à la hauteur de l'épaule en la tenant toujours pliée **(fig. C),** puis allongez le pied de telle manière que la jambe soit rectiligne à partir de la hanche **(fig. D).** Repliez la jambe en la gardant à la hauteur de l'épaule et reprenez l'exercice 8 fois. Cette petite extension est excellente pour les muscles fessiers et les hanches. Vous ne devriez jamais éprouver de douleurs dorsales. Si tel est le cas, cessez immédiatement l'exercice.

A

FLEXIONS DU GENOU

Pour les hanches, le fessier, les abdominaux et les cuisses

1. À genoux, appui sur les avant-bras afin d'exercer une pression sur la région lombaire inférieure. Soulevez la jambe droite en arrière jusqu'à la hauteur des hanches, le genou dirigé vers le plancher et les orteils vers le plafond **(fig. A).**

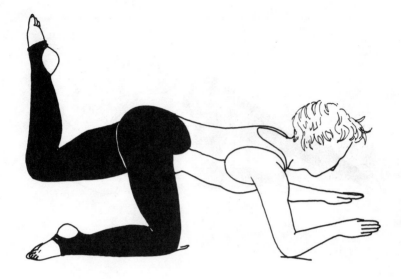

B

2. Effectuez 8 flexions de la jambe vers le haut. Reprenez cet exercice, de la jambe gauche **(fig. B).**

Essayez de ne pas laisser la jambe s'abaisser plus bas qu'au niveau des hanches lorsque la flexion atteint son point inférieur. Assurez-vous aussi que le genou est dirigé vers le sol. Ne courbez pas le dos et cessez l'exercice lorsque des douleurs se manifestent dans la partie inférieure de la colonne vertébrale.

A

ÉLÉVATIONS DE LA JAMBE

Pour les jambes, les hanches et le dos

Au cours de cet exercice, étirez-vous autant que possible.

1. Avant-bras sur le sol ; étirez la jambe droite derrière vous, les orteils touchant le plancher. La jambe gauche demeure sous le corps **(fig. A).**

B

2. Levez la jambe droite tendue aussi haut que possible, sans forcer **(fig. B),** puis abaissez-la.

Reprenez 8 fois cet exercice à un rythme assez vif, puis refaites les mêmes mouvements le même nombre de fois du côté gauche.

A

ÉTIREMENT

1. Debout, genoux pliés, paumes de la main sur le plancher, talons aussi collés au plancher que possible **(fig. A)**.

2. Redressez les jambes en gardant le plus possible les paumes à plat sur le sol et étirez-vous 4 fois **(fig. B)**.

Reprenez cet exercice 4 fois avant de vous relever et de vous secouer pour vous détendre.

B

Un régime riche en calcium et des exercices réguliers forçant les os à travailler au cours des années cruciales précédant 35 ans vous aideront à acquérir la masse osseuse optimale permise par votre héritage génétique, un des éléments capitaux de votre lutte préventive. Comme vous le verrez dans le chapitre VIII, une fois les os endommagés, les médecins ne peuvent pas faire grand-chose pour corriger la situation. Une préparation adéquate *avant* la ménopause est la bonne mesure préventive.

Chapitre VI

Comment prévenir la raréfaction de la matière osseuse au cours de la ménopause et après celle-ci

Si les années qui précèdent votre 35e anniversaire sont les plus importantes sur le plan de la prévention de l'ostéoporose (vous devriez, bien sûr, conserver les bonnes habitudes acquises au cours de la trentaine et de la quarantaine), celles qui précèdent et celles qui suivent la ménopause sont presque tout aussi importantes. Une fois atteinte la ménopause, dites-vous que votre masse osseuse maximale non seulement est chose du passé, mais qu'elle commence déjà à se raréfier. Il est toutefois possible d'éviter la raréfaction osseuse accélérée qui apparaît après la ménopause et qui occasionne l'ostéoporose chez tant de femmes. Les changements physiques par lesquels vous passez à la ménopause peuvent accroître radicalement la perte osseuse qui se manifeste avec l'âge. Cependant, un régime approprié, de l'exercice et, dans certaines circonstances, un traitement médical bien compris, offriront une certaine protection à votre ossature.

Pourquoi a-t-on besoin d'un surplus de calcium à la ménopause ?

Tout simplement parce qu'à cette période de la vie le niveau d'œstrogène baisse de façon dramatique. Nous avons déjà discuté du rôle que l'œstrogène joue dans la protection de l'ossature ainsi que dans l'absorption du calcium. Lorsque la présence de cet élément s'estompe, les os en accusent une déperdition et l'organisme ne parvient plus à le puiser dans l'alimentation. Les personnes âgées n'absorbent pas le calcium de manière véritablement efficace. Chez les femmes d'un certain âge, la perte d'œstrogène aggrave la situation. Toutes les femmes postméno-pausées ne doivent pas cesser de prendre du calcium ; celles qui ne sont pas soumises à une thérapeutique hormonale de substi-tution (nous parlerons plus bas des avantages et des inconvénients de cette sorte de traitement) devraient *augmenter* leur dose quoti-dienne de calcium à 1 500 mg. Lors de certaines recherches, on a découvert que le calcium supprimait la raréfaction osseuse due au vieillissement et qu'il abaissait les risques de fractures chez les patients souffrant d'ostéoporose. Dans tous les cas, à une époque de votre existence où la résorption osseuse s'accroît et où l'absorption de calcium diminue, il est essentiel pour votre organisme d'absorber suffisamment de calcium par voie buccale.

Les suppléments

Les aliments riches en calcium dont nous parlons aux pages 50-53 devraient continuer à constituer des éléments importants de votre régime. Il faut toutefois beaucoup de nourriture pour que l'organisme parvienne à y puiser 1 500 mg de calcium : il peut être sage de prendre des suppléments. Ces 1 500 mg sont obli-gatoires. Si vous n'en obtenez que 1 000 mg dans votre régime, il vous suffira de n'en prendre que 500 mg en supplément. Le respect de ces doses est important. En effet, les personnes qui ont trop de calcium dans le sang sont davantages sujettes à une calcification des artères pouvant mener à leur durcissement, une maladie appelée artériosclérose, à laquelle toute personne d'un certain âge devrait être sensibilisée.

Il existe différents genres de suppléments, variant surtout par le pourcentage de calcium qu'ils renferment. Les comprimés de carbonate de calcium en contiennent 40 pour cent, le lactate de calcium 13 pour 100, le gluconate de calcium 9 pour 100 seule-ment. Les médecins favorisent souvent les espèces carbonatées, parce que leur pourcentage de calcium est plus élevé et que les patientes semblent les préférer. Le carbonate de calcium est probablement le meilleur choix ; vous devriez savoir que plusieurs sortes d'antiacides (*surtout pas* ceux à base d'aluminium) peuvent tout aussi bien être qualifiés de carbonate de calcium que des remèdes plus coûteux, commercialisés par les grands laboratoires.

Ainsi, vous trouverez peut-être farfelu de prendre des Tums (anti-acides) en guise de suppléments calciques, mais ces comprimés sont bien moins chers que d'autres produits aux appellations plus prétentieuses.

Un des problèmes que les femmes éprouvent à cause des comprimés de carbonate de calcium réside dans le fait que, à haute dose, ils causent de la constipation et des flatulences. Si tel est le cas, il y a toujours moyen de se rabattre sur le gluconate de calcium, beaucoup plus cher mais moins constipant. Les comprimés de calcium « chelaté », censés être beaucoup plus assimilables, n'ont guère prouvé leur efficacité à ce chapitre ; malgré tout, on ne se surprendra pas de constater qu'ils coûtent beaucoup plus cher. Un rapport datant de 1982 signale qu'on a découvert des traces de contamination par le plomb dans certaines poudres d'os et de dolomite (carbonate double de calcium et de magnésium), deux autres suppléments calciques dernier cri offerts sur le marché. On devrait donc, pour des raisons évidentes, éviter ces produits.

Avez-vous besoin d'un supplément de vitamine D ?

Avec le passage des ans, on peut dire qu'en général le délicat équilibre calcique décrit dans le premier chapitre ne se maintient plus avec toute l'harmonie souhaitable. Les femmes éprouvent des problèmes particuliers, non seulement à cause de la chute de leurs niveaux d'œstrogène, mais aussi en raison d'autres facteurs. Ainsi, les sécrétions de calcitonine, qui freinent la déperdition de calcium osseux, sont en baisse tandis que les sécrétions d'hormone parathyroïdienne (PTH), qui en facilitent la résorption, semblent augmenter. Ce qu'il est important de retenir, c'est qu'avec l'âge, le besoin de vitamine D, nécessaire à une bonne absorption de calcium, semble se manifester avec plus d'acuité. C'est pourquoi les femmes postménopausées devraient s'exposer au soleil quotidiennement, pendant au moins 15 minutes, afin de stimuler la formation de cette précieuse vitamine. Il serait également bénéfique d'augmenter la quantité de vitamine D dans leur alimentation. Cette augmentation devrait toutefois se faire avec toutes les précautions d'usage, car, prise de façon anarchique, la vitamine D peut s'accumuler dans le sang jusqu'à atteindre des niveaux toxiques. La dose varie selon les individus, mais on a relevé des niveaux de toxicité à partir de 2 000 unités internationales (UI) par jour. Or, la dose quotidienne recommandée pour cette vitamine n'est que de 400 UI. Personne ne devrait donc prendre plus de 600 à 800 UI sans consulter son médecin.

Insuffisance de calcium	Quantités suffisantes de calcium
Le calcium est en baisse dans le sang.	Le calcium augmente dans le sang.
Le niveau d'hormone parathyroïdienne s'élève et les os perdent du calcium (résorption).	Le niveau de PTH baisse. Les os ne perdent pas de calcium.
Le niveau de calcitonine baisse. Les os ne se trouvent pas protégés contre la résorption.	Le niveau de calcitonine s'élève. Les os se trouvent protégés contre la résorption.
Production d'un surplus de vitamine D_3. Le calcium présent dans l'alimentation se trouve mieux absorbé par les os.	Production moindre de vitamine D_3. Le calcium se trouve absorbé de manière moins efficace.

Suppléments de calcium classés par sortes

Laboratoire	Calcium par comprimé
Carbonate de calcium en comprimés	
Tums (Norcliff-Thayer)	200 mg
Caltrate 600 (Lederle)	600
Biocal (Miles)	500
Carbonate de calcium (Lilly)	260
Antiacides Alka-2 (Miles)	200

Os-cal (Marion — Ayerst au Canada)	500
Biocal (Miles)	250

Lactate de calcium en comprimés

Lactate de Ca* (General Nutrition)	100
Lactate de Ca naturel (Schiff)	100
Formula 81 (Plus)	83
Lactate de Ca (Lilly)	84

Gluconate de calcium en comprimés

Gluconate de Ca (Pioneer)	62
Gluconate de Ca (Lilly)	47

Calcium « chelaté » en comprimés

Ca « chelaté » (Solgar)	167
Orotate de Ca 2 000 (Nature's Plus)	100
Orotate de Ca (Kal)	50

* Ca = Calcium

L'exercice physique

Toute femme postménopausée devrait continuer à accorder une grande importance à l'exercice physique et non moins d'importance à son alimentation, car elle n'est plus en mesure de sécréter l'œstrogène qui protégeait si bien ses os au cours de ses jeunes années. Les exercices qui font travailler la région dorsale sont d'une importance particulière, car l'ostéoporose de la colonne vertébrale est celle que l'on rencontre le plus fréquemment chez les femmes de 55 à 75 ans — en effet, les fractures du bassin surviennent rarement avant 70 ans. Retenez bien les exercices pour le dos recommandés aux pages 96-103, 108 et 109, mais souvenez-vous qu'ils sont destinés aux femmes dont la santé est relativement bonne. Insistons sur le fait que des exercices pour le dos *n'empêcheront pas* l'ostéoporose d'affecter cette région du corps. Une chose est cependant certaine : tout ce qui peut renforcer les os et les muscles dorsaux ne peut que contribuer à mieux lutter contre les effets de cette affection.

La thérapeutique hormonale de substitution : le pour et le contre

L'une des grandes décisions que les femmes doivent prendre à la ménopause est de suivre une thérapeutique hormonale de substitution ou de n'en rien faire. Ce traitement consiste à absorber quotidiennement par voie orale une dose d'œstrogène (la dose recommandée est généralement de 0,625 mg), afin de remplacer celui que le corps n'est plus en mesure de fabriquer. Cette sorte de traitement est le sujet d'une vive controverse. À l'issue d'un récent congrès de l'Institut national (américain) de la santé, où l'on avait étudié l'ostéoporose, nombre de participants s'entendirent pour recommander vivement cette thérapeutique en guise de mesure préventive ; on affirma même que toutes les femmes postménopausées devraient suivre ce traitement. Un aréopage de spécialistes fit état de nombreuses études menées pendant de longues années au terme desquelles on découvrit que les patientes qui avaient été traitées perdaient beaucoup moins de matière osseuse après la ménopause et que celles qui avaient commencé à suivre un tel traitement peu après étaient beaucoup moins sujettes aux fractures. Certains praticiens émettent toutefois des réserves et prétendent que de telles recommandations sont prématurées. Ils soulignent les dangers possibles qui vont de pair avec l'ingestion d'œstrogène, particulièrement le risque de cancer de l'endomètre (la muqueuse qui tapisse l'utérus). Ils concluent que l'on ne peut considérer la thérapeutique hormonale de substitution comme préventive et pouvant être recommandée à toutes les femmes.

Il revient donc à chaque patiente de prendre une décision. L'œstrogène réduit indéniablement la raréfaction osseuse et le nombre de fractures. S'il est vrai que l'œstrogène administré seul est susceptible d'augmenter de manière appréciable les risques de cancer de l'endomètre, il est possible de limiter de tels dommages en le combinant avec de la progestérone. De nombreux médecins estiment que les risques limités de cancer de l'endomètre — rarement mortel lorsqu'on le découvre précocement — valent largement la peine d'être courus si on les compare aux taux élevés de mortalité constatés chez les personnes âgées victimes de fractures. Les spécialistes estiment qu'à condition de se faire suivre régulièrement et de subir périodiquement une biopsie de l'endomètre afin de s'assurer qu'une hyperplasie n'est pas en train de se développer — ce qui indiquerait la présence possible d'un cancer —, toute femme peut bénéficier d'une thérapeutique hormonale de substitution afin de faire échec à la raréfaction osseuse.

Il est intéressant de noter que les jeunes femmes enceintes ou celles qui prennent des contraceptifs oraux — ce qui se traduit dans les deux cas par un niveau élevé d'œstrogène — se trouvent relativement bien protégées contre la raréfaction osseuse ; cela *ne signifie pas* toutefois qu'elles se trouvent parfaitement à l'abri de toute ostéoporose ; il ne faudrait pas s'imaginer que, pour éviter cette maladie, il suffise d'être enceinte ou de prendre la pilule. Une chose est certaine, la thérapeutique hormonale est un processus sans fin ; dès que la patiente y met un terme, la raréfaction osseuse recommence à se manifester. On a soutenu qu'il existerait quelque relation entre l'œstrogène et les cancers de l'endomètre et du sein ; une foule d'études sur le sujet ont donné des résultats très divergents ; cette relation est donc discutable, mais elle est toujours possible. D'autre part, le traitement combiné œstrogène-progestérone cause des saignements réguliers semblables aux menstruations, un inconvénient que bien des femmes trouvent fâcheux. Quant au rôle que les œstrogènes joueraient dans la prévention des fractures mortelles, son importance est atténuée du fait que les fractures du bassin — celles dont l'issue est la plus souvent fatale — surviennent rarement avec régularité avant 70 ans, c'est-à-dire 20 ans après la ménopause de la plupart des femmes.

Si l'on en juge par les expériences que les femmes ont eu avec la pilule anticonceptionnelle — malgré le fait que les dosages en œstrogène de ces dernières soient moindres que pour les produits utilisés dans une thérapeutique hormonale de substitution —, les avantages et les inconvénients de ceux-ci doivent être évalués avec le plus grand soin avant de commencer un traitement qui ne peut être qu'à long terme. Les femmes qui présentent de sérieux risques d'ostéoporose en raison d'une lourde hérédité ou des facteurs énumérés au chapitre II trouveront peut-être avantageux de se soumettre à une thérapeutique qui a fait ses preuves contre la raréfaction osseuse.

Il semble cependant qu'on ne puisse la recommander d'une façon aussi convaincante aux femmes qui ont absorbé tout le calcium dont elles avaient besoin au cours des années ayant précédé leur ménopause, à celles qui ont toujours fait de l'exercice et ne semblent pas présenter les prédispositions habituelles des personnes ostéoporotiques.

La ménopause est une période difficile dans la vie de nombreuses femmes. En effet, leur organisme subit beaucoup de changements, dont certains sont traumatisants sur les plans physique et émotionnel. Au cours de ces années-là, les risques croissants d'ostéoporose constituent un sujet d'inquiétude supplémentaire ; vous pouvez toutefois résoudre le problème en continuant à suivre un régime riche en calcium et en faisant de l'exercice. Le choix de suivre une thérapeutique hormonale de substitution constitue une décision que seule vous pouvez prendre, mais jamais à la légère.

Liste de contrôle de l'ostéoporose

1. Prenez quotidiennement la dose quotidienne de calcium qui vous a été prescrite soit dans votre alimentation, soit sous la forme de comprimés (voir page 42).

2. Faites au moins 20 minutes d'exercices forçant votre ossature à travailler et ce, au moins 3 fois par semaine (voir pages 86-111).

3. Exposez-vous quotidiennement au soleil pendant au moins 15 minutes afin d'absorber suffisamment de vitamine D. Plus tard, on vous recommandera peut-être de prendre de la vitamine D, mais *seulement* sur prescription médicale (voir pages 115-117).

4. Évitez autant que possible la caféine, l'alcool et la nicotine (voir page 34).

5. Ne prenez pas d'antiacides à base d'aluminium (voir page 33).

6. Surveillez soigneusement votre alimentation : attention aux protéines, au phosphore, aux matières grasses et à l'acide oxalique (voir page 35).

7. Assurez-vous de consommer suffisamment de magnésium (voir page 44).

8. Si vous êtes dans la catégorie des personnes prédisposées à souffrir d'ostéoporose, envisagez la possibilité d'une thérapeutique hormonale de substitution après la ménopause (voir pages 118-120).

TROISIÈME PARTIE

QUE FAIRE EN CAS D'OSTÉOPOROSE ?

Chapitre VII

Comment savoir si vous souffrez vraiment d'ostéoporose

Malgré votre souci de mesures préventives, il est possible que vous fassiez de l'ostéoporose au cours des années qui suivent votre ménopause. Toutes les mesures dont il a été question précédemment en diminuent le risque, mais, bien sûr, ne peuvent l'éliminer. Un des spécialistes consultés signale que certaines de ses patientes, fortement ostéoporotiques, n'affichent pourtant aucune des prédispositions habituelles à cette maladie ; il émet d'ailleurs l'hypothèse voulant qu'il existe certains facteurs génétiques qui en favorisent l'apparition.

Fréquence et conséquences

À première vue, le pourcentage de femmes âgées souffrant d'ostéoporose est ahurissant. Une étude, effectuée en 1969 dans le Michigan, démontra que 39,2 pour 100 des femmes de 50 à 54 ans affichaient des signes d'ostéoporose de la colonne vertébrale, anomalie que l'on retrouvait chez 57,7 p. 100 de celles qui étaient âgées de 55 à 59 ans. Chez les femmes entre 60 et 64 ans, le pourcentage s'élevait à 65,5 p. 100 et chez celles de 65 à 69 ans, à 73,5 p. 100. Enfin, les femmes entre 70 et 74 ans affichaient un incroyable pourcentage de 84,2 p. 100, qui s'élevait en flèche à 89 p. 100 chez celles de 75 ans et plus. Le problème est sérieux mais pas aussi alarmant que ces pourcentages le laissent supposer. Ainsi, l'ostéoporose est une affection souvent asymptomatique. La plupart des femmes possédant une masse osseuse suffisamment décalcifiée pour être classées ostéoporotiques ne subiront jamais de fracture ou ne seront jamais défigurées par la trop classique « bosse de douairière ». Seule une personne sur trois aura à souffrir de fractures ou de difformité. Malgré une possibilité qui, à première vue, semble faible, signalons qu'environ 1,7 p. 100 des personnes âgées de 45 à 64 ans et 2 p. 100 de celles de plus de 65 ans souffrent *chaque année* d'une fracture due à l'ostéoporose. Tous les ans, entre 1 et 2 p. 100 des personnes de plus de 75 ans se fracturent le bassin et 40 p. 100 d'entre elles en meurent en moins de deux ans. Le fait que la plupart des gens possédant une masse osseuse décalcifiée ne subissent jamais de fracture n'est qu'une mince consolation pour les malheureux qui en font les frais.

Comment savoir si vous êtes ostéoporotique avant même de vous infliger une fracture

Fondamentalement, l'ostéoporose est une maladie asymptomatique, du moins jusqu'à la découverte d'une fracture. Qui tient alors à être victime d'une si mauvaise surprise ? À l'heure actuelle, le corps médical s'applique de plus en plus à identifier les personnes les plus visées par cette affection afin de prendre les mesures préventives qui s'imposent. La maladie ne s'est pas encore déclarée, mais il existe certains signes indicateurs d'ostéoporose qui se manifestent parfois bien avant une fracture. Si vous remarquez l'un de ces symptômes, consultez immédiatement votre médecin et passez les tests nécessaires au dépistage.

Le premier avertissement est une douleur constante, localisée dans la partie inférieure du dos ; elle peut être le signe d'une ostéoporose de la colonne vertébrale. La plupart des maux de dos ont tendance à rayonner avec l'accroissement de la fatigue musculaire. La douleur symptomatique indicatrice d'une condition ostéoporotique dans cette région est, par contre, très localisée.

Le symptôme principal de l'ostéoporose est une perte de taille. Si vous courbez du dos à partir de la ceinture, il y a de fortes possibilités que certaines de vos vertèbres aient, à votre insu, déjà subi un tassement. En effet, ce type de fracture n'est pas toujours douloureux. Si, en vous mesurant, vous constatez que vous avez perdu 2 cm et plus, il est temps de prendre rendez-vous avec votre médecin pour subir les tests d'usage.

Vos dents étant faites de matière osseuse, tout comme votre mâchoire d'ailleurs, l'ostéoporose peut quelquefois être cause de parodontopathie. La mâchoire n'est pas l'endroit où l'ostéoporose se déclare le plus souvent. Vu qu'il existe un grand nombre de gens qui souffrent de ce genre de problème, il ne faudrait pas sauter aux conclusions. Une femme postménopausée qui n'a jamais eu de problèmes dentaires majeurs et qui découvre soudain que ses dents se déchaussent devrait consulter son médecin. Il pourrait s'agir d'un signe avant-coureur de l'ostéoporose.

Une fois de plus, si vous relevez quelque symptôme, prenez immédiatement rendez-vous avec votre médecin pour qu'il vous fasse subir les examens appropriés.

Fréquence des cas d'ostéoporose au Michigan chez les femmes âgées de 45 ans et plus, par groupe d'âge*

Groupe d'âge (en années)	Nombre de femmes ayant participé à l'étude	Pourcentage souffrant d'ostéoporose
45-49	290	17,9
50-54	309	39,2
55-59	514	57,7
60-64	426	65,5
65-69	299	73,5
70-74	177	84,2
75	73	89,0
Total	2 088	56,7

* Ces taux de fréquence sont basés sur des radiographies de la colonne vertébrale, dans la région dorso-lombaire.
Source : A.P. Iskrant et R. Smith Jr, « Osteoporosis in Women 45 Years and Over Related to Subsequent Fractures ». *Public Health Report* 84:33-38, 1969.

Faites mesurer la densité de vos os

Si vous pensez être atteint(e) d'ostéoporose, il faudra que vous subissiez l'examen destiné à mesurer la densité de vos os. Il existe plusieurs moyens de le faire, mais deux récentes techniques semblent rallier les suffrages. Il s'agit de la tomographie axiale informatisée (technique également connue sous le nom de scanographie CAT) et de l'absorptiométrie duophotonique. Ces deux méthodes mesurent non pas directement la densité osseuse mais le contenu osseux en matières minérales, éléments qui influencent en permanence l'ensemble de la masse osseuse. Dans le cas d'ostéoporose, contrairement à ce qui se passe dans d'autres maladies osseuses, la quantité de matières minérales dans une région donnée de l'ossature demeure stable. Lorsque le contenu d'éléments minéraux baisse, cela signifie que la matière osseuse est en cours de raréfaction. Si tel est le cas, lorsque cette baisse — qui influence, rappelons-le, l'ensemble de votre masse osseuse —, tombe au-dessous d'un certain niveau, l'ostéoporose se déclare.

« Dans les cas d'ostéoporose, la technique idéale pour mesurer l'état de la masse osseuse sans intervention — c'est-à-dire sans prélèvement de fragment osseux sur le sujet — consiste principalement à évaluer la densité de l'os trabéculaire dans la colonne vertébrale et, dans certains cas, le bassin », estime l'un des spécialistes qui a étudié le pour et le contre des différentes méthodes. Selon ces critères, la scanographie ou examen au tomodensitomètre se révèle particulièrement efficace. On mesure l'intérieur de la vertèbre, composé principalement d'os trabéculaire. Par contraste, l'absorptiométrie duophotonique mesure l'ensemble de la vertèbre, y compris l'os cortical et, quelquefois, certains des tissus adjacents. La scanographie CAT est plus répandue que l'absorptiométrie duophotinique ; on la trouve donc dans un plus grand nombre d'hôpitaux. La scanographie n'en est pas moins onéreuse pour autant. En effet, une tomodensitométrie CAT à énergie simple coûte de 150 à 175 $ U.S. contre 125 $ pour une absorptiométrie duophotonique. On ne peut donc dire que ces méthodes soient peu onéreuses.*

Le degré de précision d'une scanographie à énergie simple est loin d'atteindre la perfection ; la scanographie CAT à énergie double est plus précise, mais les deux types de tomodensitométrie émettent passablement de radiations (de 250 millirems pour les dispositifs à énergie simple à 500 millirems pour ceux à énergie double). L'absorptiométrie duophotonique émet des radiations beaucoup plus faibles (10 millirems) et on estime qu'elle possède une plus grande précision. Dans les régions où il est important

---

* Signalons qu'au Canada, comme dans d'autres pays où les services médicaux sont fortement socialisés, ces examens sont souvent remboursés aux termes des régimes provinciaux d'assurance-maladie. (N.D.T.)

de mesurer l'os cortical comme l'os trabéculaire (dans le bassin, par exemple), la méthode duophotonique est probablement celle qui est la plus indiquée. En revanche, la scanographie CAT peut se révéler plus efficace pour l'examen de la colonne vertébrale, car il est plus facile de focaliser celui-ci sur l'endroit affecté.

Problèmes inhérents à la tomodensitométrie

La pratique courante de la scanographie a engendré certains problèmes. Chose très importante : nulle technique n'est en mesure de prévoir avec certitude si une personne fera ou ne fera pas d'ostéoporose. Ce n'est qu'en utilisant davantage ces techniques et en les raffinant que les praticiens auront une meilleure idée de ce qu'est la norme de minéralisation des os et des niveaux critiques, des carences qui indiquent une ostéoporose latente. À l'heure actuelle, les médecins hésitent encore : ils sont en mesure de bien *diagnostiquer* l'ostéoporose lorsqu'elle se déclare, mais incapables de dire si vous risquez d'être victime de cette affection. En dépit de ce flou, le fait que vous puissiez savoir si vous êtes ostéoporotique ou non *avant* de subir une fracture constitue déjà un indéniable progrès.

Les spécialistes ont à faire face à un autre problème. Ils ont découvert que la densité de la masse osseuse à un endroit donné de l'ossature ne fournit pas d'indication précise sur la densité de cette même masse à un endroit différent de celle-ci. En effet, on pensait jusqu'à récemment que la masse osseuse était uniforme dans toutes les parties du squelette, ce qui n'est pas du tout le cas. Dans le chapitre I, nous avons vu des statistiques sur les différents degrés de raréfaction osseuse selon les types d'os. De toute évidence, les vertèbres de la région lombaire, par exemple, qui sont exposées à perdre annuellement jusqu'à 8 pour 100 de leur masse, n'ont pas la même densité qu'un os de la jambe qui en perd seulement 1 pour 100 pendant le même laps de temps.

Étant donné que l'ostéoporose se trouve maintenant divisée en deux catégories, que vous êtes susceptible de réagir au traitement de manière différente et de souffrir de différentes sortes de raréfaction de la matière osseuse, bien des patients devront subir des

examens densitométriques pour différents endroits de leur squelette. Une telle recherche risque de leur coûter quelque 400 $
U.S.

Ostéoporose postménopausique et sénile

La tomodensitométrie est utilisée non seulement pour diagnostiquer l'ostéoporose, mais aussi pour évaluer la réponse osseuse
au traitement. Il s'agit d'un des outils permettant aux spécialistes
de diviser l'ostéoporose en deux catégories distinctes avec une
sûreté de jugement de plus en plus grande, tout en découvrant
une variété de réactions à la thérapeutique dans chacune de ces
divisions. L'ostéoporose du premier type, au cours de laquelle
la perte d'os trabéculaire est plus élevée que la perte d'os cortical,
cause les tassements vertébraux et les fractures du poignet dont
tant de femmes sont victimes entre 55 et 75 ans. Il semble que
ce type d'ostéoporose réponde moins bien au calcium qu'à l'œstrogène. En fait, la plupart des spécialistes estiment qu'une déficience en œstrogène plutôt qu'un manque de calcium serait la
principale cause du développement de cette dégradation. C'est
pour cette raison qu'on l'appelle ostéoporose postménopausique.

On qualifie souvent l'ostéoporose du deuxième type de
« sénile », à cause de l'âge plus avancé des personnes qui en sont
victimes (de 70 à 85 ans). Même si les femmes en souffrent
davantage que les hommes, elle affecte une importante proportion
de ceux-ci. C'est ce type d'ostéoporose qui est responsable des
fractures du bassin et on en impute la cause principale à un manque
de calcium dans l'alimentation. On a également remarqué que les
personnes chez qui on l'identifiait souffraient de problèmes rénaux
perturbant la production d'une forme hormonale de vitamine D_3.
Nous avons vu au chapitre I comment cette forme active de vitamine D accroît l'absorption de calcium.

On a observé que, sur une période de 10 ans, 95 pour 100 des
ostéoporotiques postménopausiques ayant subi des fractures
vertébrales étaient victimes de fractures subséquentes — jusqu'à
6 dans certains cas. Quelque 75 pour 100 de ces patients sont
exposés à perdre jusqu'à 10 cm. La fréquence des fractures du
bassin occasionnées par l'ostéoporose sénile augmente graduellement avec le vieillissement et un taux de mortalité élevé s'y

rattache. Les personnes qui ne meurent pas de telles fractures restent souvent handicapées. Lorsque les symptômes se manifestent en fin de compte sous la forme de fractures, on ne peut qu'en constater la gravité.

Chapitre VIII

Comment traiter l'ostéoporose

On ne guérit pas l'ostéoporose. On ne peut que la traiter. On ne connaît à l'heure actuelle aucun moyen de récupérer la masse osseuse qu'elle fait perdre aux personnes qui en sont atteintes. Il existe toutefois certains soins qui réduisent la raréfaction de la matière osseuse et y mettent parfois un terme. Il s'agit la plupart du temps de mesures préventives que nous avons décrites dans la deuxième partie de cet ouvrage : absorption de calcium, d'œstrogène et exercice physique. D'autre part la calcitonine, hormone qui freine la résorption osseuse, a récemment reçu l'approbation de la Food & Drug Administration (administration américaine des aliments et drogues). Dès que l'ostéoporose se manifeste, ces quatre moyens de la combattre deviennent, pour les médecins, des armes de première ligne.

Les suppléments calciques

Le calcium constitue le point de départ de tout traitement antiostéoporotique. Peu importe ce que l'on prescrit à une patiente, on y trouve à coup sûr du calcium à prendre sous forme alimentaire ou encore sous forme de suppléments, en comprimés ou en tablettes. On a découvert, lors d'une étude sur la question, que les traitements par ingestion de calcium suffisaient à eux seuls à diminuer de moitié les cas de fractures ostéoporotiques. C'est donc par de tels traitements qu'il faut commencer à lutter. Le reste vient par surcroît. On peut également prescrire des suppléments de vitamine D afin de favoriser l'absorption du calcium ; la thérapeutique faisant appel à la forme hormonale de vitamine D_3 en est encore au stade expérimental et nous en reparlerons un peu plus loin.

La thérapeutique hormonale de substitution

Nous avons passé en revue les avantages et les inconvénients de la médication hormonale de substitution au chapitre VI. Elle est particulièrement attirante pour les femmes chez qui l'ostéoporose s'est carrément déclarée, car son indiscutable efficacité permet de prévenir toute détérioration osseuse supplémentaire. Étant donné que l'ostéoporose de la colonne vertébrale, qui est des plus courantes, ne semble guère réagir au calcium — ce fait n'a pas encore été établi de manière irréfutable —, les femmes souffrant de tassement des vertèbres ou de décalcification dans cette région du corps devraient sérieusement songer à suivre un traitement à base d'œstrogène. Il faudrait toutefois qu'elles se souviennent que, lors de la prescription d'un tel traitement, il est important de surveiller avec le plus grand soin tout signe avant-coureur de cancer de l'endomètre et de subir tous les deux ans — voire tous les ans — une biopsie de cette muqueuse. Si vous vous décidez à suivre un traitement hormonal, demandez à votre médecin quel est le dosage qu'il compte vous administrer. Bien des spécialistes estiment que, de toute évidence, des doses quotidiennes aussi minimes que 0,3 mg suffisent à mettre un terme à la raréfaction osseuse. Malgré tout, la dose prescrite le plus couramment est de 0,625 mg par jour. Comme l'ont découvert à leurs dépens les utilisatrices de contraceptifs oraux, à doses plus élevées, il faut s'attendre à des complications.

L'exercice

Les personnes qui souffrent d'ostéoporose déclarée ne devraient pas se mettre à faire du jogging ou des poids et haltères. Toutefois, l'exercice pratiqué de façon modérée ne peut se révéler que bénéfique. On a découvert en effet que l'exercice ralentissait la raréfaction de la matière osseuse et même stimulait la formation d'os chez les personnes âgées. Certains praticiens mettent les résultats de cette étude en doute, mais même les plus sceptiques s'entendent pour dire que si l'exercice n'est pas une panacée, une chose est certaine : il ne peut avoir d'effets négatifs. Vingt minutes de marche trois fois par semaine, des ciseaux exécutés avec les bras, des fléchissements latéraux, des exercices destinés renforcer la région lombaire et les muscles abdominaux ne peuvent qu'être excellents pour les ostéoporotiques. Avant de vous lancer, ne manquez pas de consulter votre médecin.

Exercices recommandés aux femmes d'un certain âge

Marche (d'un pas vif)	Ping-pong
Bicyclette fixe	Cyclo-rameur
Gymnastique suédoise	Danse campagnarde (genre quadrille)
Jogging sur trempline (trampoline)	Gymnastique aquatique

Le repos

L'exercice, c'est bien, mais encore faut-il prendre le temps de se reposer afin de soulager les douleurs allant de pair avec l'ostéoporose. L'affaissement de la colonne vertébrale, causée par l'ostéoporose du premier type (postménopausique) provoque en particulier des douleurs dorsales que l'on soulage partiellement en se plaçant à l'horizontale. Essayez de vous passer d'oreillers sous la tête ; placez-les plutôt sous vos genoux pour soulager la tension lombaire. Le lit devrait avoir un matelas ferme, car l'ensemble du corps doit être convenablement soutenu. L'ostéoporose postménopausique limite, dans une certaine mesure, ses propres ravages. La douleur et la tension que les fractures imposent aux muscles se dissiperont éventuellement ; cependant, la bosse dite de douairière n'en disparaîtra pas pour autant. Bien sûr, les fractures du bassin sont beaucoup plus sérieuses et, pour les personnes souffrant d'ostéoporose sénile (du deuxième type), la position allongée devient trop souvent permanente.

La mise au point de nouveaux soins : les traitements expérimentaux

Malgré le fait qu'aucun des traitements utilisés ne donne guère plus de résultats que de mettre un terme à toute raréfaction osseuse ultérieure, il existe un certain nombre de soins, encore au stade expérimental, qui permettraient de faire augmenter la masse osseuse. Aucun d'entre eux n'a encore été approuvé officiellement, mais des études sont en cours sur leurs effets possibles.

L'hormone parathyroïdienne

L'un de ces traitements consiste à administrer de petites doses d'un fragment synthétique de l'hormone parathyroïdienne. Nous avons vu au premier chapitre comment une augmentation des sécrétions de PTH stimule la résorption osseuse, phénomène négatif qui, curieusement, serait susceptible de se muer en une forme de traitement. En effet, la résorption comme la formation osseuse sont des phénomènes dont l'interaction est si forte que l'hormone parathyroïdienne pourrait fort bien, estime-t-on, jouer un rôle dans la formation de la matière osseuse selon certaines conditions encore mal connues. C'est ainsi qu'on a constaté que des fragments de PTH administrés à haute dose (750 unités par jour) stimulaient l'activité de la matière osseuse et augmentaient particulièrement le volume d'os trabéculaire.

L'ingestion de phosphate

Il existe une thérapie apparentée à la précédente. Elle consiste à administrer du phosphate par voie buccale afin de stimuler la sécrétion d'hormone parathyroïdienne et, par conséquent, l'activité de la matière osseuse. Lorsqu'on renforce ce traitement avec la calcitonine, qui freine la résorption, on remarque qu'il favorise la formation osseuse et que le volume d'os trabéculaire augmente.

L'« ADFR »

Il existe un nouveau traitement antiostéoporotique qui n'a pas encore fait ses preuves et qu'on appelle le régime ADFR, sigle pour les mots anglais « Activate, Depress, Free, Repeat », que l'on traduit librement par « stimuler, abaisser, libérer, recommencer ». Il s'agit d'abord d'administrer à l'ostéoporotique divers agents qui stimulent la formation de matière osseuse, d'abaisser la résorption, de laisser libre cours à la formation pendant un certain temps, puis de recommencer le cycle. Ce traitement plutôt théorique n'a pas encore été évalué sur le plan expérimental.

Comparaisons entre l'ostéoporose postménopausique (du premier type) et l'ostéoporose sénile (du deuxième type)		
Facteurs	*Types d'ostéoporose*	
	1er type	**2e type**
Âge	55-75	70-85
Sexe (F ou M)	6 à 1	2 à 1
Type de raréfaction osseuse	Trabéculaire > que cortical	Trabéculaire = au cortical
Principaux types de fractures	Vertèbres Poignet	Bassin Os longs Vertèbres
Causes principales	Carence d'œstrogène	Vieillissement
Importance du calcium dans l'alimentation	Faible	Forte
Absorption du calcium	en baisse	en baisse
Fonctionnement des parathyroïdes	en baisse	en hausse
Métabolisme anormal de la vitamine D	Secondaire	Primaire

La vitamine hormonale D_3

Les trois traitements précités n'en sont qu'au tout premier stade de leur mise au point. On en connaît davantage, par contre, sur le traitement qui fait appel à la vitamine hormonale D_3 sous forme active. On possède la preuve que de nombreux ostéoporotiques, en particulier ceux qui souffrent d'ostéoporose sénile, sont incapables de parachever le métabolisme de la vitamine D sous sa forme active et que, par conséquent, ils n'absorbent pas le calcium de manière efficace. Sans hésitation, disons que le traitement au calcitriol — nom générique de cette vitamine hormonale active

— devrait améliorer l'absorption de calcium. Ce genre de traitement, qui passe actuellement au crible des tests cliniques, favoriserait également la formation. Tant que cette étude ne sera pas complétée et que ses résultats ne seront pas soumis à l'administration des aliments et drogues, ce qui devrait être chose faite au moment de la publication de cet ouvrage, ce traitement continuera à appartenir au domaine expérimental.

Les « PEMF » ou champs électromagnétiques pulsés

Il s'agit d'un autre traitement expérimental. Quoique peu répandus, les PEMF (sigle pour Pulsed Electromagnetic Fields ou champs électromagnétiques pulsés) sont appliqués sur la partie osseuse brisée à l'aide d'une espèce d'électrode ; le champ électromagnétique produit est censé permettre à l'os de guérir plus facilement. Même s'ils ont été approuvés par l'Administration américaine des aliments et drogues, les PEMF font partie des traitements de nature hautement expérimentale ; de nombreux experts en ostéoporose estiment qu'il s'agit là d'un traitement discutable dont la valeur reste encore à prouver.

Le fluorure de sodium

L'un des traitements antiostéroporotiques ayant subi le feu de tests très serrés sur le plan clinique est sans doute l'administration de fluorure de sodium. Plusieurs études à long terme ont prouvé qu'il favorisait réellement la formation de matière osseuse, surtout lorsque, en même temps, est prescrite une dose quotidienne de 1 000 à 1 500 mg de calcium. Quoique des plus prometteuses, cette médication présente cependant certains inconvénients. Tout d'abord, le fluorure est un médicament toxique : presque 50 pour 100 des personnes qui en prennent ressentent des effets secondaires. Près de 20 pour 100 d'entre elles souffrent d'irritation gastrique, généralement de sensations de brûlure et de nausées ; parfois, les symptômes peuvent être aussi graves que des vomissements incoercibles ou des ulcères. Ce qui est plus troublant, c'est que 30 pour 100 des personnes soignées au fluorure souffrent de douleurs aux jambes, aux mollets et aux chevilles. Il est possible que celles-ci soient attribuables à l'intense activité osseuse engendrée par le fluorure (souvenez-vous des « douleurs de croissance » de votre enfance). Mais il existe aussi d'autres raisons sérieuses. C'est ainsi qu'on a découvert que presque la moitié des personnes qui ressentaient des douleurs des membres inférieurs par suite de ce traitement souffraient de fractures par tension. Ces fractures guérissent, mais on soupçonne que le fluorure augmente peut-être la densité de l'os trabéculaire — que l'on trouve principalement dans la colonne vertébrale — aux dépens de la matière osseuse corticale, fortement présente dans le bassin et les jambes. Les fractures du bassin représentant — et de loin — les séquelles ostéoporotiques les plus graves, un traitement qui risque d'augmenter la fragilité de tels os est loin d'être une panacée, malgré le fait qu'il fasse merveille dans la région verticale. Un autre aspect inquiétant cause par ailleurs quelque souci aux chercheurs : la nouvelle matière osseuse créée par l'action du fluorure ne serait pas aussi résistante que celle des os normaux.

La thérapeutique à base de fluorure est certes prometteuse, mais plusieurs questions demeurent encore sans réponse. L'un des principaux cliniciens engagés dans l'étude de ce traitement estime qu'il faudra encore de 2 à 4 ans avant qu'il soit soumis à l'approbation de l'administration américaine des aliments et drogues.

« Le message primordial qu'il importe de faire comprendre aux femmes est qu'elles doivent d'abord cesser *de s'inquiéter* en permanence à cause de l'ostéoporose », a déclaré l'un des médecins consultés dernièrement. « Il ne s'agit pas, après tout, d'une maladie si terrible... » Tout comme une dame que nous avons interviewée, il est facile de qualifier un tel commentaire de simpliste en rétorquant qu'il s'agit là d'une réaction bien masculine à l'égard d'une affection qui touche principalement les femmes. Mais, en examinant soigneusement les faits, il y a du vrai dans cette remarque par trop optimiste. En effet, personne ne veut souffrir d'ostéoporose : les symptômes de cette maladie sont déplaisants et ses séquelles sont parfois graves. Toutefois, il ne s'agit *pas toujours* d'une maladie qui vous transforme en personne handicapée.

Les traitements dont nous avons parlé dans les pages précédentes freineront la raréfaction de la matière osseuse. À condition de suivre un régime approprié et de faire de l'exercice, les victimes d'ostéoporose peuvent poursuivre une existence à peu près normale. Elles ne doivent surtout pas vivre dans la crainte permanente d'une chute ou dans celle d'être infirmes à cause de multiples fractures. Un jour, des traitements qui en sont encore au stade expérimental auront probablement fait leurs preuves et recevront l'approbation du corps médical ; grâce à eux, on réussira à régénérer véritablement la matière osseuse. Lors de la venue d'un véritable traitement pour l'ostéoporose, on se permettra de dire qu'il ne s'agit pas, après tout, d'« une maladie si terrible... ».

Glossaire

Absorptiométrie duophotonique
Une des techniques utilisées pour mesurer la densité osseuse (*voir* Scanographie CAT).

Acide oxalique
Substance trouvée dans certains légumes feuillus (persil, épinards, feuilles de betteraves). Cet acide pourrait empêcher l'absorption de calcium.

Alactasie
Synonyme d'allergie au lait : les personnes ne peuvent pas digérer le lactose, sucre trouvé dans le lait des mammifères ainsi que dans les produits qui en proviennent. Dans l'impossibilité de consommer l'une des meilleures sources alimentaires de calcium, les personnes allergiques courent donc davantage le risque de souffrir d'ostéoporose.

Allergie au lait
Voir Alactasie

Aménorrhée
Lorsque les femmes normalement constituées cessent d'avoir des règles, on dit qu'elles font de l'aménorrhée. Cet état signifie généralement que leurs niveaux œstrogéniques ont baissé de façon considérable ; or, on sait que cette carence provoque parfois de l'ostéoporose.

Calcitonine
Hormone peptidique protégeant l'os contre les pertes de calcium résultant de la résorption. Lorsque les niveaux sanguins de calcium sont élevés, les niveaux de calcitonine suivent la même courbe ; les os cessent alors de libérer davantage de calcium dans la circulation. Les niveaux de calcium étant bas, ceux de calcitonine suivent, ce qui permet aux os de libérer le calcium nécessaire au bon fonctionnement de l'organisme.

Calcitriol
Nom générique de la forme hormonale active de la vitamine D_3 (*voir* Vitamine D).

Calcium (Ca)
Élément minéral de l'organisme humain, il est essentiel au bon développement des os. On le trouve principalement dans le squelette, dans une proportion de 99 pour 100. La carence de calcium est le principal responsable de l'ostéoporose.

Calcium « chelaté »

Autre type de supplément calcique. On prétend qu'il se digère plus facilement. Une chose est certaine : il coûte beaucoup trop cher compte tenu des résultats. Non recommandé.

Calculs rénaux

Blocage des voies urinaires pouvant être provoqué, entre autres causes, par une ingestion excessive de calcium.

Carbonate de Calcium, Gluconate et Lactate

Il s'agit là de trois espèces de comprimés. La différence qui existe dépend de leur pourcentage de calcium. (Carbonate : 40 p. 100 ; Lactate : 13 p. 100 ; Gluconate 9 p. 100).

Contenu minéral osseux

Éléments mesurés au cours d'une densitométrie. Le contenu minéral d'un os est directement relié à sa densité.

Corticostéroïdes

Médicament principalement administré aux personnes souffrant d'arthrite. Il est susceptible d'accélérer la raréfaction osseuse et l'ostéoporose.

Densitométrie

L'ostéoporose étant une affection caractérisée par une porosité croissante des os — donc par un manque de densité de ces derniers —, la densitométrie constitue un outil important permettant de savoir si une personne souffre de cet état. Il existe différentes techniques d'évaluation de la densité osseuse (*voir* chapitre VII), mais toutes consistent à mesurer les os par scanographie ou absorptiométrie afin de vérifier si leur tissu est suffisamment épais ou si leur porosité s'accroît. Si tel est le cas, on diagnostique alors des signes d'ostéoporose.

Dolomite

Autre forme de supplément calcique. En 1982, on a découvert que certains échantillons contenaient du plomb, comme dans un certain supplément à base d'os moulu (*voir* Os, Farine d').

Écrasement (ou tassement) de vertèbres

Un des symptômes les plus courants de l'ostéoporose. Dans les cas d'écrasement (appelé aussi tassement), les vertèbres de la colonne vertébrale ne sont plus en mesure de supporter le poids qui leur est imposé ; elles se tassent donc les unes sur les autres, ce qui crée chez les personnes âgées une courbure dorsale douloureuse appelée « bosse de douairière ».

Endomètre, Biopsie de l'

Test utilisé pour dépister le cancer de l'endomètre.

Endomètre, Cancer de l'

Cancer de la muqueuse tapissant l'intérieur de l'utérus. Les femmes qui ont recours à un traitement hormonal (ou œstrogénique) de substitution risquent davantage de souffrir de ce type de cancer.

Exercices destinés à faire travailler l'ossature

Activité physique au cours de laquelle les os doivent supporter une charge, soit par le biais de l'haltérophilie modérée, soit grâce à des exercices exécutés dans des positions forçant les os à supporter le poids du corps. Le but est d'exercer un effort sur le squelette de manière à faciliter le développement de nouveaux tissus osseux.

Facteurs de risques

Certaines caractéristiques physiques et certaines habitudes alimentaires constituent ce qu'il est convenu d'appeler des facteurs de risques. Les personnes souffrant d'ostéoporose en présentent plus fréquemment.

Fluorure de sodium

Traitement expérimental de l'ostéoporose stimulant la création de nouveau tissu osseux. Malheureusement, il comprend d'inquiétants effets secondaires et son utilisation n'a pas encore été approuvée.

Formation osseuse

Processus au cours duquel les os captent les éléments minéraux en suspension dans le sang et forment du nouveau tissu osseux (*voir* Ostéoblastes)

Guide alimentaire

Niveau convenable d'éléments nutritifs — notamment de vitamines et de minéraux —, estimation faite par l'administration américaine des aliments et drogues. Il existe aussi un Guide alimentaire canadien et les services de santé de la plupart des pays industrialisés émettent des recommandations similaires.

Hormone parathyroïdienne ou parathormone

Souvent désignée par le signe américain PTH. Elle stimule la libération de calcium dans la circulation sanguine lorsque les niveaux calciques sont bas. Quand ils sont élevés, les niveaux de parathormone baissent de façon que les os ne libèrent pas de calcium.

Hyperplasie

État anormal de la muqueuse utérine (endomètre) indiquant le développement possible d'un cancer.

Lactase

Enzyme permettant de digérer le sucre du lait dans les produits laitiers. Les personnes qui sont dépourvues de cette enzyme souffrent d'alactasie ou d'allergie au lait.

Lactose

Autre nom du sucre du lait que les personnes souffrant d'alactasie ne peuvent digérer.

Magnésium

Minéral qui, tout comme le calcium, est emmagasiné dans les os. Les personnes qui accusent des carences de magnésium, dit-on, risquent davantage l'ostéoporose.

Masse osseuse

Elle est égale à la densité osseuse multipliée par la taille du squelette. Il s'agit de l'ensemble de la matière osseuse contenue dans le corps (*voir* Masse osseuse maximale).

Masse osseuse maximale

Squelette au maximum de sa taille et de sa maturité, état qu'on atteint vers l'âge de 35 ans. Plus une personne possède une masse osseuse maximale et meilleures sont ses possibilités d'éviter l'ostéoporose ; plus sa masse osseuse atteint son maximum et plus elle peut se permettre une raréfaction du tissu osseux avant de souffrir d'ostéoporose.

Ménopause

Période de transition dans la vie d'une femme. Survient généralement au cours de la quarantaine, à la cessation de ses règles. La chute d'œstrogène à la ménopause constitue l'un des facteurs dans le processus de raréfaction osseuse rapide menant à l'ostéoporose.

Oestrogène

Hormone femelle sécrétée par les ovaires et protégeant le squelette contre la raréfaction osseuse. Les niveaux d'œstrogène de l'organisme humain chutent de façon dramatique à la ménopause.

Os cortical ou compact

Enveloppe externe de tous les os, moins épaisse et plus lisse que l'intérieur de ceux-ci. Ce type d'os constitue presque 80 p. 100 du squelette.

Os, Farine d'

Forme de supplément calcique. En 1982, on a découvert que certains échantillons de ce produit contenaient du plomb. Non recommandé (*voir* Dolomite).

Os trabéculaire

Tissu osseux spongieux trouvé à l'intérieur des os et qui représente environ 20 p. 100 de la totalité du squelette. La raréfaction de l'os trabéculaire se fait plus tôt et en plus grandes quantités que celle de l'os cortical. C'est le type d'os qui se raréfie le plus facilement lorsqu'on fait de l'ostéoporose.

Ostéoblastes

Cellules de l'os qui obturent les cavités et facilitent la formation de nouveau tissu osseux.

Ostéoclastes

Cellules qui détruisent la surface osseuse persistante.

Ostéoporose du premier type

Voir Ostéoporose postménopausique

Ostéoporose du deuxième type

Voir Ostéoporose sénile

Ostéoporose postménopausique

Appelée également ostéoporose du premier type, elle se manifeste le plus souvent chez les femmes âgées de 55 à 75 ans. La région vertébrale est celle où les fractures surviennent le plus fréquemment. Les pertes d'os trabéculaire sont alors beaucoup plus importantes que les pertes d'os cortical.

Ostéoporose sénile

Appelée également ostéoporose du deuxième type, elle affecte hommes et femmes de plus de 70 ans. La raréfaction du tissu osseux trabéculaire, tout comme celle du tissu cortical, se produit dans les mêmes proportions. L'endroit le plus sujet aux fractures est alors le bassin.

Parodontopathie

Problème dentaire susceptible d'indiquer la présence d'ostéoporose.

Phosphate (pris par voie orale)

Traitement expérimental contre l'ostéoporose censé augmenter les échanges à l'intérieur du tissu osseux, donc favoriser la création de ce dernier.

Phosphore

Corps simple susceptible de créer des possibilités d'ostéoporose lorsqu'il est en grandes quantités dans l'alimentation.

Progestatif

Agent employé dans la thérapeutique hormonale de substitution afin de réduire les risques de cancer de l'endomètre.

Protéines

Éléments essentiels dans une saine alimentation. Prises en trop grandes quantités, les protéines augmentent l'excrétion de calcium et risquent ainsi de favoriser l'ostéoporose.

Régime ADFR

Traitement expérimental de l'ostéoporose utilisant divers agents touchant le processus de formation de nouveaux tissus osseux.

Remodelage naturel

Processus permanent au cours duquel le tissu osseux se dégrade puis se reconstruit (*voir* Formation et résorption osseuses).

Résorption osseuse

Processus au cours duquel les os captent les éléments minéraux dans le squelette et les relâchent dans la circulation sanguine (*voir* Ostéoclastes).

Scanographie CAT

Nom courant de la tomographie axiale informatisée ; l'une des techniques destinées à mesurer la densité osseuse.

Tassement de vertèbres

Voir Écrasement

Thérapeutique hormonale (ou œstrogénique) de substitution

Dosage très faible d'œstrogène administré quotidiennement aux femmes après la ménopause afin de maintenir leurs niveaux œstrogéniques. Ce traitement prête flanc à la critique à cause des liens qui semblent exister entre son application et le cancer de l'endomètre.

Vertèbres

Chacun des os courts formant la colonne vertébrale. C'est dans cette région que se produisent le plus fréquemment les fractures d'origine ostéoporotique (*voir* Écrasement ou Tassement de vertèbres).

Vitamine D

Transformée par le foie et les reins sous sa forme métaboliquement active $1,25\ (OH_2)D_3$ ou, simplement, sous sa forme hormonale dite D_3, cette vitamine joue un rôle essentiel dans l'absorption du calcium. Lorsque le niveau de calcium contenu dans l'alimentation est bas, la vitamine hormonale D_3 augmente l'efficacité de l'absorption calcique de manière que l'organisme obtienne le maximum de bénéfice du peu de calcium mis à sa disposition.

Remarques sur mes sources d'information

Ce livre étant destiné au grand public, je me suis gardée de le truffer de notes infrapaginales hérissées de références. Le sujet traité est suffisamment technique pour lui éviter l'aspect austère d'une thèse universitaire. Je me suis toutefois fortement appuyée sur des comptes rendus de communications scientifiques présentées lors de la conférence de l'institut national de la santé des É.-U. (National Institute of Health Consensus Development) qui eut lieu en avril 1984, ainsi que sur les conclusions auxquelles les invités à cette manifestation sont parvenus. D'autre part, je remercie les médecins suivants d'avoir bien voulu m'accorder des interviews : Louis V. Avioli, de St. Louis, praticien au Jewish Hospital et professeur à l'université Washington de cette même ville ; Bruce Ettinger, du centre médical Kaiser-Permanente, à San Francisco ; Robert P. Heaney, de l'université Creighton ; Michael Kleerekoper, du Henry Ford Hospital et B. Lawrence Riggs, de la clinique et de l'école de médecine Mayo.

Je me suis également inspirée de plusieurs livres portant sur l'ostéoporose et sur des sujets connexes : *The Osteoporotic Syndrome : Detection, Prevention, and Treatment,* rédigé par le Dr Avioli (New York, Grune & Stratton, 1983), ouvrage très au point mais dont le langage fort médical peut rebuter les lecteurs moyens ; *Osteoporosis : What It Is, How to Prevent It, How to Stop It,* par Betty et Si Kamen (New York, Pinnacle Books, 1984), principalement axé sur l'alimentation naturelle, dont certaines conclusions ne sont pas pleinement corroborées, malgré les impressionnantes connaissances des auteurs ; *La ménopause,* par Winnifred Berg Cutler, Celso-Ramón García et David A. Edwards (publié en français par les Éditions Stanké en 1985), qui expose les avantages et les inconvénients du traitement hormonal de substitution ; *Pickles & Ice Cream : The Complete Guide to Nutrition During Pregnancy,* par Mary Abbott Hess et Anne Elise Hunt (New York, Dell, 1982), un livre plein de ressources sur l'alimentation des femmes enceintes et des femmes qui allaitent. J'ai également consulté le magazine *Consumer Reports* d'octobre

1984, qui a effectué une étude des avantages et des inconvénients dans les différents suppléments calciques. Dans *Food Values of Portions Commonly Used,* de C.F. et H.N. Church (Philadelphie, J.B. Lippincott, 1975) et *Nutrition Almanac,* 2e édition (New York, McGraw-Hill, 1974), j'ai puisé, pour mes chapitres III et IV, des informations sur l'alimentation ; je me suis notamment inspirée de Randi Aaron, M.A. pour les recettes du chapitre IV.

Finalement, j'aimerais exprimer une gratitude toute particulière envers le Dr Stanton Cohn, qui m'a fourni le rapport de l'institut national de la santé et qui a décrypté, pour la profane que je suis, les subtilités de la terminologie médicale tout au long de la rédaction de ce livre. Il a également révisé le manuscrit final pour y détecter toute erreur technique. S'il en demeurait, elles ne relèveraient que de ma seule responsabilité.